CHICO BUARQUE

LEITE DERRAMADO

COMPANHIA DAS LETRAS

1

Quando eu sair daqui, vamos nos casar na fazenda da minha feliz infância, lá na raiz da serra. Você vai usar o vestido e o véu da minha mãe, e não falo assim por estar sentimental, não é por causa da morfina. Você vai dispor dos rendados, dos cristais, da baixela, das joias e do nome da minha família. Vai dar ordens aos criados, vai montar no cavalo da minha antiga mulher. E se na fazenda ainda não houver luz elétrica, providenciarei um gerador para você ver televisão. Vai ter também ar condicionado em todos os aposentos da sede, porque na baixada hoje em dia faz muito calor. Não sei se foi sempre assim, se meus antepassados suavam debaixo de tanta roupa. Minha mulher, sim, suava bastante, mas ela já era de uma nova geração e não tinha a austeridade da minha mãe. Minha mulher gostava de sol, voltava sempre afogueada das tardes no areal de Copacabana. Mas nosso chalé em Copacabana já veio abaixo, e de qualquer forma eu não moraria com você na casa de outro casamento, moraremos na fazenda da raiz da serra. Vamos nos casar na capela que foi consagrada pelo cardeal arcebispo do Rio de Janeiro em mil oitocentos e lá vai fumaça. Na fazenda você tratará de mim e de mais ninguém, de maneira que ficarei completamente bom. E plantaremos árvores, e escreveremos livros, e se Deus quiser ainda criaremos filhos nas terras de meu avô. Mas se você não gostar da raiz da serra por causa das pererecas e dos insetos, ou da lonjura ou de outra coisa, poderíamos morar em Botafogo, no casarão construído por meu pai. Ali há quartos enormes, banheiros de mármore com bidês, vários salões com espelhos venezianos, estátuas, pé-direito monumental e telhas de ardósia importadas da França. Há palmeiras, abacateiros e amendoeiras no jardim, que virou estacionamento depois que a embaixada da Dinamarca mudou para Brasília. Os dinamarqueses me compraram o casarão a preço de banana, por causa das trapalhadas do meu genro. Mas se amanhã eu vender a fazenda, que tem duzentos alqueires de lavoura e pastos, cortados por um ribeirão de água potável, talvez possa reaver o casarão de Botafogo e restaurar os móveis de mogno, mandar afinar o piano Pleyel da minha mãe. Terei bricolagens para me ocupar anos a fio, e caso você deseje prosseguir na profissão, irá para o trabalho a pé, visto que o bairro é farto em hospitais e consultórios. Aliás, bem em cima do nosso próprio terreno levantaram um centro médico de dezoito andares, e com isso acabo de me lembrar que o casarão não existe mais. E mesmo a fazenda na raiz da serra, acho que desapropriaram em 1947 para passar a rodovia. Estou pensando alto para que você me escute. E falo devagar, como quem escreve, para que você me transcreva sem precisar ser taquígrafa, você está aí? Acabou a novela, o jornal, o filme, não sei por que deixam a televisão ligada, fora do ar. Deve ser para que esse chuvisco me encubra a voz, e eu não moleste os outros pacientes com meu palavrório. Mas aqui só há homens adultos, quase todos meio surdos, se houvesse senhoras de idade no recinto eu seria mais discreto. Por exemplo, jamais falaria das putinhas que se acocoravam aos faniquitos, quando meu pai arremessava moedas de cinco francos na sua suíte do Ritz. Meu pai ali muito compenetrado, e as cocotes nuinhas em postura de sapo, empenhadas em pinçar as moedas no tapete, sem se valer dos dedos. A campeã ele mandava descer comigo ao meu quarto, e de volta ao Brasil confirmava à minha mãe que eu vinha me aperfeiçoando no idioma. Lá em casa como em todas as boas casas, na presença de empregados os assuntos de família se tratavam em francês, se bem que, para mamãe, até me pedir o saleiro era assunto de família. E além do mais ela falava por metáforas, porque naquele tempo qualquer enfermeirinha tinha rudimentos de francês. Mas hoje a moça não está para conversas, voltou amuada, vai me aplicar a injeção. O sonífero não tem mais efeito imediato, e já sei que o caminho do sono é como um corredor cheio de pensamentos. Ouço ruídos de gente, de vísceras, um sujeito entubado emite sons rascantes, talvez queira me dizer alguma coisa. O médico plantonista vai entrar apressado, tomar meu pulso, talvez me diga alguma coisa. Um padre chegará para a visita aos enfermos, falará baixinho palavras em latim, mas não deve ser comigo. Sirene na rua, telefone, passos, há sempre uma expectativa que me impede de cair no sono. É a mão que me sustém pelos raros cabelos. Até eu topar na porta de um pensamento oco, que me tragará para as profundezas, onde costumo sonhar em preto-e-branco.

2

Não sei por que você não me alivia a dor. Todo dia a senhora levanta a persiana com bruteza e joga sol no meu rosto. Não sei que graça pode achar dos meus esgares, é uma pontada cada vez que respiro. Às vezes aspiro fundo e encho os pulmões de um ar insuportável, para ter alguns segundos de conforto, expelindo a dor. Mas bem antes da doença e da velhice, talvez minha vida já fosse um pouco assim, uma dorzinha chata a me espetar o tempo todo, e de repente uma lambada atroz. Quando perdi minha mulher, foi atroz. E qualquer coisa que eu recorde agora, vai doer, a memória é uma vasta ferida. Mas nem assim você me dá os remédios, você é meio desumana. Acho que nem é da enfermagem, nunca vi essa sua cara por aqui. Claro, você é a minha filha que estava na contraluz, me dê um beijo. Eu ia mesmo lhe telefonar para me fazer companhia, me ler jornais, romances russos. Fica essa televisão ligada o dia inteiro, as pessoas aqui não são sociáveis. Não estou me queixando de nada, seria uma ingratidão com você e com o seu filho. Mas se o garotão está tão rico, não sei por que diabos não me interna numa casa de saúde tradicional, de religiosas. Eu próprio poderia arcar com viagem e tratamento no estrangeiro, se o seu marido não me tivesse arruinado. Poderia me estabelecer no estrangeiro, passar o resto dos meus dias em Paris. Se me desse na veneta, poderia morrer na mesma cama do Ritz onde dormi quando menino. Porque nas férias de verão o seu avô, meu pai, sempre me levava à Europa de vapor. Mais tarde, cada vez que eu via um deles ao largo, na rota da Argentina, chamava sua mãe e apontava: lá vai o Arlanza!, o Cap Polonio!, o Lutétia!, enchia a boca para contar como era um transatlântico por dentro. Sua mãe nunca tinha visto um navio de perto, depois de casada ela mal saía de Copacabana. E quando lhe anunciei que iríamos em breve ao cais do porto, para receber o engenheiro francês, ela se fez de rogada. Porque você era recém-nascida, e ela não podia largar a criança e coisa e tal, mas logo tomou o bonde para a cidade e cortou os cabelos à la garçonne. Chegado o dia, vestiu-se como achou que era de bom-tom, com um vestido de cetim cor de laranja e um turbante de feltro mais alaranjado ainda. Eu já lhe havia sugerido que guardasse aquele luxo para o mês seguinte, na despedida do francês, quando poderíamos subir a bordo para um vinho de honra. Mas ela estava tão ansiosa que se aprontou antes de mim, ficou na porta me esperando em pé. Parecia empinada na ponta dos pés, com os sapatos de salto, e estava muito corada ou com ruge demais. E quando vi sua mãe naquele estado, falei, você não vai. Por quê, ela perguntou com voz fina, e não lhe dei satisfação, peguei meu chapéu e saí. Nem parei para pensar de onde vinha a minha raiva repentina, só senti que era alaranjada a raiva cega que tive da alegria dela. E vou deixar de falação porque a dor só faz piorar.

3

Aquela que veio me ver, ninguém acredita, é minha filha. Ficou torta assim e destrambelhada por causa do filho. Ou neto, agora não sei direito se o rapaz era meu neto ou tataraneto ou o quê. Ao passo que o tempo futuro se estreita, as pessoas mais novas têm de se amontoar de qualquer jeito num canto da minha cabeça. Já para o passado tenho um salão cada vez mais espaçoso, onde cabem com folga meus pais, avós, primos distantes e colegas da faculdade que eu já tinha esquecido, com seus respectivos salões cheios de parentes e contraparentes e penetras com suas amantes, mais as reminiscências dessa gente toda, até o tempo de Napoleão. Veja só, neste momento olho para você, que toda noite está comigo tão amorosa, e fico até sem graça de perguntar seu nome de novo. Em compensação, recordo cada fio da barba do meu avô, que só conheci de um retrato a óleo. E do livrete que deve estar por aí na cômoda, ou lá em cima na cabeceira da minha mãe, pergunte à arrumadeira. É um pequeno livro com uma sequência de fotos quase idênticas, que em folheada ligeira dão a ilusão de movimento, feito cinema. Retratam meu avô a caminhar em Londres, e em criança eu gostava de folhear as fotos de trás para diante, para fazer o velho dar marcha a ré. É com essa gente antiquada que sonho, quando você me põe para dormir. Eu por mim sonhava com você em todas as cores, mas meus sonhos são que nem cinema mudo, e os atores já morreram há tempos. Dia desses fui buscar meus pais no parque dos brinquedos, porque no sonho eles eram meus filhos. Fui chamá-los com a boa-nova de que meu avô recém-nascido seria circuncidado, tinha virado judeu sem mais nem menos. De Botafogo, o sonho cortou para a fazenda na raiz da serra, onde encontramos meu avô de barba e suíças brancas, caminhando de fraque diante do Parlamento Inglês. Ia num passo rápido e duro, como de pernas mecânicas, dez metros para a frente, dez metros para trás, igual ao livrete. Meu avô foi um figurão do Império, grão-maçom e abolicionista radical, queria mandar todos os pretos brasileiros de volta para a África, mas não deu certo. Seus próprios escravos, depois de alforriados, escolheram permanecer nas propriedades dele. Possuía cacauais na Bahia, cafezais em São Paulo, fez fortuna, morreu no exílio e está enterrado no cemitério familiar da fazenda na raiz da serra, com capela abençoada pelo cardeal arcebispo do Rio de Janeiro. Seu ex-escravo mais chegado, o Balbino, fiel como um cão, ficou sentado para sempre sobre a tumba dele. Se você chamar um táxi, posso lhe mostrar a fazenda, a capela e o mausoléu.

4

Antes de exibir a alguém o que lhe dito, você me faça o favor de submeter o texto a um gramático, para que seus erros de ortografia não me sejam imputados. E não se esqueça que meu nome de família é Assumpção, e não Assunção, como em geral se escreve, como é capaz de constar até aí no prontuário. Assunção, na forma assim mais popular, foi o sobrenome que aquele escravo Balbino adotou, como a pedir licença para entrar na família sem sapatos. Curioso é que seu filho, também Balbino, foi cavalariço do meu pai. E o filho deste, Balbino Assunção Neto, um preto meio roliço, foi meu amigo de infância. Esse me ensinou a soltar pipa, a fazer arapucas de caçar passarinho, me fascinavam seus malabarismos com uma laranja nos pés, quando nem se falava em futebol. Mas depois que entrei no ginásio, minhas idas à fazenda escassearam, ele cresceu sem estudos e perdemos as afinidades. Só o reencontrava nas férias de julho, e então volta e meia lhe pedia um favor à-toa, mais para agradar a ele mesmo, que era de índole prestativa. Às vezes também o chamava para ficar por ali à disposição, porque a quietude da fazenda me aborrecia, naquele tempo a gente era veloz e o tempo se arrastava. Daí a eterna impaciência, e adoro ver seus olhos de rapariga rondando a enfermaria: eu, o relógio, a televisão, o celular, eu, a cama do tetraplégico, o soro, a sonda, o velho do Alzheimer, o celular, a televisão, eu, o relógio de novo, e não deu nem um minuto. Também acho uma delícia quando você esquece os olhos em cima dos meus, para pensar no galã da novela, nas mensagens do celular, na menstruação atrasada. Você me olha assim como eu na fazenda olhava um sapo, horas e horas estático, fito a fito no sapo velho, para poder variar com os pensamentos. Durante um período, para você ter uma ideia, encasquetei que precisava enrabar o Balbino. Eu estava com dezessete anos, talvez dezoito, o certo é que já conhecia mulher, inclusive as francesas. Não tinha, portanto, necessidade daquilo, mas do nada decidi que ia enrabar o Balbino. Então lhe pedia que fosse catar uma manga, mas tinha de ser aquela manga específica, lá no alto, que nem madura estava. Balbino pronto me obedecia, e suas passadas largas de galho em galho começaram de fato a me atiçar. Acontecia de ele alcançar a tal manga, e eu lhe gritar uma contraordem, não é essa, é aquela mais na ponta. Fui tomando gosto por aquilo, não havia dia em que não mandava o Balbino trepar nas mangueiras uma porção de vezes. E eu já desconfiava que ele também se movia ali no alto com malícias, depois tinha um jeito meio feminil de se abaixar com os joelhos juntos, para recolher as mangas que eu largava no chão. Estava claro para mim que o Balbino queria me dar a bunda. Só me faltava ousadia para a abordagem decisiva, e cheguei a ensaiar umas conversas de tradição senhorial, direito de primícias, ponderações tão acima de seu entendimento, que ele já cederia sem delongas. Mas por esse tempo felizmente aconteceu de eu conhecer Matilde, e eliminei aquela bobagem da cabeça. No entanto garanto que a convivência com Balbino fez de mim um adulto sem preconceitos de cor. Nisso não puxei ao meu pai, que só apreciava as louras e as ruivas, de preferência sardentas. Nem à minha mãe, que ao me ver arrastando a asa para Matilde, de saída me perguntou se por acaso a menina não tinha cheiro de corpo. Só porque Matilde era de pele quase castanha, era a mais moreninha das congregadas marianas que cantaram na missa do meu pai. Eu já a tinha visto de relance umas vezes, na saída da missa das onze, ali mesmo na igreja da Candelária. Na verdade nunca a pude observar direito, porque a menina não parava quieta, falava, rodava e se perdia entre as amigas, balançando os negros cabelos cacheados. Saía da igreja como quem saísse do cinema Pathé, onde na época exibiam fitas em série americanas. Mas agora, no momento em que o órgão dava a introdução para o ofertório, bati sem querer os olhos nela, desviei, voltei a mirá-la e não a pude mais largar. Porque assim suspensa e de cabelos presos, mais intensamente ela era ela em seu balanço guardado, seu tumulto interior, seus gestos e risos por dentro, para sempre, ai. Então, não sei como, em plena igreja me deu grande vontade de conhecer sua quentura. Imaginei que abraçá-la de surpresa, para ela pulsar e se debater contra o meu peito, seria como abafar nas mãos o passarinho que capturei na infância. Estava eu com essas fantasias profanas, quando minha mãe me tomou pelo braço para a comunhão. Hesitei, remanchei um pouco, não me sentia digno do sacramento, mas recusá-lo à vista de todos seria um desacato. Com certo medo do inferno, fui afinal me ajoelhar ao pé do altar e cerrei os olhos para receber a hóstia sagrada. Quando os reabri, Matilde se virava para mim e sorria, sentada ao órgão que não era mais um órgão, era o piano de cauda da minha mãe. Tinha os cabelos molhados sobre as costas nuas, mas acho que agora já entrei no sonho.

5

É o tal negócio, me arrancam da cama, me passam para a maca, ninguém quer saber dos meus incômodos. Nem bem acordei, não me escovaram os dentes, estou com a cara amassada e a barba por fazer, e com este péssimo aspecto me fazem desfilar sob a luz fria do corredor que é um verdadeiro purgatório, com um monte de gente estropiada pelo chão, fora os vagabundos que vêm ali a fim de ver desgraça. Por isso puxo o lençol e cubro meu outrora belo rosto, que logo tornam a expor para não parecer que estou morto, porque causa má impressão, ou é vexatório para maqueiro transportar defunto. Depois tem o elevador, onde todos olham sem cerimônia para a minha cara, em vez de olhar o chão, o teto, o mostrador de andares, porque também não custa nada olhar para um traste. Lá em cima vem outro corredor cheio de ziguezagues e lamentações e urros, por fim a velha sala de tomografia, e não sei a quem aproveita tamanho transtorno. Já tirei não sei quantos raios X, já me reviraram todo, e no fim não dizem nada, nunca me apresentaram uma chapa de pulmão. Por falar nisso, eu amaria dar uma olhada nas minhas fotos particulares, e o doutor, que tem um ar polido, se não se importar dê um pulo na minha casa. Peça à minha mãe que lhe indique a escrivaninha barroca de jacarandá, cuja gaveta central é abarrotada de fotografias. Procure direito e me traga uma foto do tamanho de um cartão-postal, com um janeiro de 1929 escrito à mão no verso, que mostra uma pequena multidão no cais do porto, com um navio de três chaminés ao fundo. Da multidão veem-se apenas as costas das vestes e copas de chapéus, porque todo mundo estava virado para o Lutétia na baía. Mas não me deixe de trazer também a lupa, que está sempre na gaveta menor, e vou lhe mostrar uma coisa. Num exame minucioso, pode-se notar na foto um único rosto, de um único homem voltado para a objetiva, e lhe asseguro que esse homem de terno preto e chapéu-coco sou eu. Nem adianta arrumar uma lupa mais potente, porque ampliada demais a fisionomia se deforma, não se vê boca nem nariz nem olhos, será como uma máscara de borracha com um bigode escuro. E ainda que a imagem resultasse nítida, os traços apurados do meu semblante, aos vinte e dois anos incompletos, talvez lhe parecessem menos verossímeis que uma máscara de borracha. Mas lá estava eu, e me lembro bem das pessoas todas magnetizadas pela aparição do Lutétia, que se deu de modo meio teatral, ao irromper de denso nevoeiro. Nisso olhei para trás e vi um fotógrafo com seu equipamento a uns vinte metros de distância. Não era novidade, já de um tempo havia por toda parte esses diletantes ou profissionais da fotografia, captando instantâneos para a posteridade, como se dizia. Então presumi, não sem vaidade, que ao se revelar aquele instantâneo, eu seria o único a figurar para a posteridade frente a frente. E passados muitos e muitos anos, uma vez consumada a fuzilaria do tempo, ainda assim de alguma forma eu seria um rosto sobrevivente, porque tive o instinto de me voltar para a câmera naquele instante. De par com essa foto, adquiri no sebo uma similar, de igual tamanho, sacada poucas horas após a primeira, do mesmo ângulo e com a mesma lente, evidentemente pelo mesmo fotógrafo. Então o Lutétia já tinha atracado, e os passageiros caminham no cais, cercados de amigos e parentes, em direção ao armazém da alfândega. Eu estou ali embaixo à esquerda, ao lado de um sujeito mais alto, de terno cinza ou bege, com uma palheta meio torta na cabeça. Estou de novo olhando para a câmera, mas dessa vez contrariado por aparecer quase como um lacaio, carregando um sobretudo e uma pasta de couro alheios. O nome do monsieur a meu lado era Dubosc, e fosse sonora a fotografia, sobressairia uma voz muito grossa a perguntar pela delegação francesa. Naquele momento ele provavelmente ainda não tinha me reconhecido, pois depois de me largar nas mãos o sobretudo e a pasta, olhava por cima de mim e não parava de falar, l'ambassadeur?, l'ambassadeur? Já estava previsto que o embaixador lhe abriria os salões na noite de sábado, para uma gala com a presença do corpo diplomático, de autoridades e figuras ilustres da sociedade local, mas Dubosc não se dava por satisfeito. Em bom francês eu me disse encantado em revê-lo, depois de nossos inolvidáveis rendez-vous em Paris, na companhia de meu finado pai, o senador Assumpção. Mas nem a menção a meu pai surtiu efeito, ele insistia em perguntar pelo cônsul, pelo adido militar, e protestou em voz alta contra a demora na liberação da bagagem. É sabido que certas pessoas viajam mal, como alguns vinhos em trânsito se irritam, por isso julguei prudente conduzi-lo em silêncio ao Palace Hotel, deixando-o à vontade para se recuperar até o dia seguinte. Também me apetecia voltar logo para casa, onde minha mulher talvez me agradecesse por tê-la poupado de uma jornada maçante. E já no saguão o homem detestou o Palace, que sem dúvida não se comparava a um Ritz de Paris, mas era o melhor hotel da avenida Central, avenida que por sua vez lhe causou tédio, porque metida a europeia. Esse Dubosc, vou lhe contar, não sei que fim levou, mas se tinha então uns quarenta anos, pelos meus cálculos morreu há mais de vinte. Faço votos de que tenha falecido na paz dos seus, porém de algum colapso fulminante, para que não se doesse pela vida afora tanto quanto eu, como agora me doem os ossos e as escaras ao voltar para a maca. Imagino o quanto ele, em meu lugar, não teria blasfemado contra o gelo desta sala e contra o bafo do calor lá fora. Espero mesmo que nunca tenha entrado em elevadores fedorentos, nem visto essas baratas subindo pelas paredes, nem provado a gororoba de um hospital igual a este, nem continuado a falar merde alors, até a hora da morte. Porque tudo é mesmo uma merda, mas depois melhora um pouco, quando de noite a namorada vem.

6

Quando eu sair daqui, vamos começar vida nova numa cidade antiga, onde todos se cumprimentam e ninguém nos conheça. Vou lhe ensinar a falar direito, a usar os diferentes talheres e copos de vinho, escolherei a dedo seu guarda-roupa e livros sérios para você ler. Sinto que você leva jeito porque é aplicada, tem meigas mãos, não faz cara ruim nem quando me lava, em suma, parece uma moça digna apesar da origem humilde. Minha outra mulher teve uma educação rigorosa, mas mesmo assim mamãe nunca entendeu por que eu escolhera justamente aquela, entre tantas meninas de uma família distinta. Minha mãe era de outro século, em certa ocasião chegou a me perguntar se Matilde não tinha cheiro de corpo. Só porque Matilde era de pele quase castanha, era a mais moreninha de sete irmãs, filhas de um deputado correligionário do meu pai. Não sei se alguma vez lhe contei que já tinha visto Matilde de passagem, na porta da igreja da Candelária. Mas nunca a pude analisar como naquele dia, quando a surpreendi na pausa que antecedia o ofertório. Ela estava no coral que cantava o Réquiem, e o vestido de congregada mariana não lhe caía bem, era como uma roupa ao redor dela, solta da pele. Uma roupa rígida feito uma armadura, estranha mesmo ao corpo dela, e um corpo nu ali debaixo poderia até dançar sem dar na vista. Eram as exéquias do meu pai, no entanto eu não sabia mais me libertar de Matilde, procurava adivinhar seus movimentos mais íntimos e seus pensamentos tão distantes. Eu percebia de longe seu rubor, seu olhar em pingue-pongue, seu riso contido enquanto cantava: libera anima omnium fidelium defunctorum de poenis inferni. E foi como um choque elétrico quando mamãe tocou meu cotovelo, me convocando para a comunhão. Mas assim que me levantei, me atirei de volta ao genuflexório, prevenindo um escândalo. De maneira alguma eu poderia ser visto em pé, muito menos ao lado de minha mãe, no estado indecente em que me encontrava. Então, tapando o rosto com as mãos, fazendo passar por luto minha vergonha, procurei pensar nas coisas mais tristes enquanto mamãe me consolava. Quando consegui me safar em parte do embaraço, cabisbaixo acompanhei mamãe ao altar-mor, e comunguei ciente de cometer um sacrilégio pelo qual seria em breve punido. E com a hóstia ainda íntegra na língua, meio sem querer entreabri os olhos em direção ao coro, que se dissolvera. Assisti contrito ao desfecho da cerimônia, em seguida me postei com mamãe para atender à imensa fila de cumprimentos. Acolhi condolências formais, efusões de desconhecidos, mãos pegajosas e hálitos azedos, já sem grandes esperanças de Matilde. Até que a avistei ao lado dos pais, depois rapidamente entre as irmãs, depois no grupo das congregadas marianas. Vi como ela se aproximava não em linha reta, mas em parafuso, a se entreter com meio mundo à sua volta, como se estivesse numa fila de sorveteria. Mais ela vinha, mais eu ansiava por vê-la face a face, e mais me angustiava a possibilidade de perder outra vez a compostura. Chegou, me fitou com os olhos subitamente marejados, me abraçou e sussurrou no meu ouvido, coragem, Eulálio. Matilde falou Eulálio, e me confundiu. Tive um arrepio pelo seu sopro quente em meu ouvido, e outro arrepio a contrapelo, por ouvir um nome que quase me humilhava. Eu não queria ser Eulálio, só mesmo os padres me chamavam assim nos tempos de colégio. A me chamar Eulálio, preferia envelhecer e ser sepultado com meus apelidos infantis, Lalinho, Lalá, Lilico. O Eulálio do meu tetravô português, passando por trisavô, bisavô, avô e pai, para mim era menos um nome do que um eco. Então a encarei e disse, não entendi. Matilde repetiu, coragem, Eulálio, e já agora, em sua voz ligeiramente rouca, parecia que meu nome Eulálio tinha uma textura. Falou meu nome como se o arranhasse um pouco, e quando num volteio se retirou, tive como temia novo arrebatamento obsceno. Já se chegavam suas seis irmãs branquinhas, logo atrás o deputado federal seu pai, de braço com a senhora sua mãe, depois viriam as congregadas marianas, mais uma ainda longa fila, e não havia alternativa. Debrucei-me, contorci-me como em cólicas, soltei-me da minha mãe aflita e disparei pela primeira porta. Cruzei a sacristia, para susto do padre e seus acólitos, e alcancei uma saída lateral da igreja. Ao deparar com gente na calçada, despi o paletó, protegi minhas pernas e me enfiei numa ruela. Mas logo na avenida Beira-Mar eu já podia caminhar como convém a um cavalheiro, a não ser pelo chapéu esquecido no banco da igreja. E no fim de extensa caminhada cheguei de mangas arregaçadas ao casarão de Botafogo, onde vi o velho chofer de minha mãe encostado no capô do Ford. Entrei pelos fundos e subi direto para o banheiro, pois tinha transpirado muito e carecia de um banho fresco. E urgia compreender melhor o desejo que me descontrolara, eu nunca havia sentido coisa semelhante. Se desejo era aquilo, posso dizer que antes de Matilde eu era casto. Quem sabe se, inadvertidamente, eu não teria me apossado da volúpia do meu pai, assim como da noite para o dia herdara gravatas, charutos, negócios, bens imóveis e uma possível carreira na política. Foi meu pai quem me apresentou às mulheres em Paris, contudo mais que as próprias francesas, sempre me impressionou o seu olhar para elas. Assim como o aroma das mulheres daqui não me impressionava tanto quanto o cheiro dele, impregnado na garçonnière que ele me emprestava. Debaixo do chuveiro eu agora me olhava quase com medo, imaginando em meu corpo toda a força e a insaciedade do meu pai. Olhando meu corpo, tive a sensação de possuir um desejo potencial equivalente ao dele, por todas as fêmeas do mundo, porém concentrado numa só mulher.

7

Bom dia, flor do dia, mas deve haver modos menos agourentos de se despertar que com uma filha choramingando à cabeceira. E pelo visto, mais uma vez você veio sem os meus cigarros, que dirá os charutos. Que é proibido fumar aqui dentro eu sei, mas dá-se um jeito, também não estou lhe pedindo para entrar no hospital com cocaína. Vou lhe contar como um belo dia, em Paris, seu avô resolveu me levar a uma estação de inverno. Papai era um homem de múltiplos interesses, mas até então eu desconhecia essa sua faceta esportiva. Aos dezessete anos, segundo ele, já estava mais que na hora de eu conhecer a neve, por isso enfrentamos longa viagem de trem até Crans-Montana, nos Alpes suíços. À noite demos entrada no hotel, munidos de botas e luvas e gorros de lã, pares de esquis e de bastões, todo o aparato. E eu já ia dormir quando papai me chamou ao seu quarto, sentou-se numa chaise longue e abriu um estojo de ébano. Mas o que é isso, meu pai? É a neve, ora bolas, disse ele muito sério, papai fazia questão de nunca sair do sério. Com uma miniespátula separou o pó branquíssimo em quatro linhas, depois me passou um canudo de prata. Mas não se tratava dessa porcaria que idiota cheira por aí, era cocaína da pura, que só tomava quem podia. Não travava a boca, não tirava a fome, nem brochava, tanto é verdade que em seguida ele mandou subir as putas. Às vezes sinto pena da minha mãe, porque papai não lhe deu sossego nem depois de morto. Sua avó teve de receber em casa o chefe de polícia, aturar perguntas insolentes, pois corria que meu pai tinha sido morto a mando de um corno. Isso porque foi metralhado ao entrar na sua garçonnière, mas mamãe só lia O Paiz, cujas reportagens atribuíam o crime à oposição. Também é verdade que em mamãe a desgraça não caía mal, trajes pretos eram adequados à sua natureza. Assim como em você toda cor é gritante, o sol não pega, hoje posso lhe dizer que me dava pena você mocinha, errando a mão na maquiagem. Você nunca me convenceu em seus dias de glória, cabelos ao vento no Bentley esporte do seu namorado. Ficou irreconhecível vestida de noiva, ou de pilequinho na recepção do Jockey Club, parecia fora de si a me acenar do convés do Conte Grande, de óculos escuros e luvas vermelhas. Da lua-de-mel voltou esfuziante, falava com deleite até de uma audiência com Pio XII no Vaticano. E eu me esforçava em partilhar os seus deslumbramentos, a ponto de lhe dar os parabéns quando você me mostrou seu passaporte, onde ao sobrenome Assumpção se acrescentara um Palumba. Confesso que eu também me divertia com Amerigo Palumba, principalmente ao ver o escudinho na sua lapela, com a coroa do partido monárquico italiano. O lenço de seda, a abotoadura de brilhantes, a pérola na gravata, tinha lá sua graça o estilo, se você considerar que o velho Palumba enriqueceu em São Paulo estripando porcos. Não sei se o filho tinha vergonha das salsichas, mas deve ter erguido as mãos para o céu durante a guerra, quando as bandas antifascistas incendiaram seus frigoríficos. Depois da guerra veio para a capital, passou a investir na bolsa de valores, tratava dinheiro por apelidos, e quando a levou recém-casada para morar num palacete suspenso no Flamengo, achou bonito me contar quanto pagava de aluguel. E você continuava estranhamente feliz, ocupada com a decoração do palacete à la Segundo Império. Ia às corridas no Hipódromo, à piscina do Copacabana Palace, chegou perto de me lembrar sua mãe quando dançava o tango. Até que Amerigo Palumba me deu o bote e sumiu. No mês seguinte, despejada do palacete por insolvência, você retornou ao seu estado natural, e um pouco curvada olhava para mim como quem diz, viu só? Chegavam as faturas, as prestações do conversível, da companhia de navegação, do antiquário, de todo lado explodiam apólices, hipotecas, papagaios, e você me dizia, eu não disse? De Amerigo Palumba recebi notícias duvidosas. Não sei se aplicou minhas finanças em títulos nobiliárquicos, dizem até que fez camaradagem com o rei destronado da Itália. Foi visto perdendo dinheiro a rodo no cassino do Estoril, para enlevo de uns duques velhos, porque ganhar na roleta era coisa de nouveau riche. É como se dizia antigamente, pai rico, filho nobre, neto pobre. O neto pobre calhou de estar na sua barriga, Eulálio d'Assumpção Palumba, o garotão por nós criado, que cresceu rebelde com toda a razão. Já maduro entrou nos eixos, mas você deve lembrar quando ele meteu na cabeça de ser comunista. Agora imagine a sua avó o que diria, neta casada com filho de imigrante e bisneto comunista da linha chinesa. Esse seu filho engravidou outra comunista, que teve um filho na cadeia e na cadeia morreu. Você diz que ele próprio morreu nas mãos da polícia, e com efeito tenho vaga lembrança de tal assunto. Mas lembrança de velho não é confiável, e agora estou seguro de ter visto o garotão Eulálio ainda outro dia, forte toda a vida. Ele até me deu uma caixa de charutos, mas que besteira a minha, o que morreu era outro Eulálio, um que parecia o Amerigo Palumba mais magro. O Eulálio magro é que virou comunista, porque já nasceu na cadeia e dizem que teve um desmame precoce. Daí fumava maconha, batia nas professoras, foi expulso de todas as escolas. Mas mesmo semianalfabeto e piromaníaco, arranjou trabalho e prosperou, outro dia me deu uma caixa de charutos. Visitou-me em casa com uma namoradinha de barriga de fora e brinco no umbigo. Essa me faria gosto como nora, mas quem pariu na cadeia foi outra. Não esqueço o dia em que me telefonaram para buscar o bebê no hospital do Exército, o coronel foi atencioso, disse me conhecer de outros Carnavais. Até me emocionei ao ver o pimpolho, praticamente órfão de pai e mãe, porque Amerigo Palumba estava longe e você, presa e incomunicável. Mas espere um pouco, isso não é possível porque você saiu do hospital ao meu lado, com a criança no colo. Só sei que Eulálio d'Assumpção Palumba Júnior foi batizado e criado por nós, hoje é esse garotão que a leva para andar de carro e me dá charutos cubanos. Veio aqui em casa outro dia com uma namoradinha de alfinete no umbigo, que não parece nada comunista. Nem o garotão tem jeito de quem distribui panfletos contra a ditadura. Você deve estar fazendo confusão com o outro, aquele Eulálio mais moreno, namorador, que teve um caso com uma japonesa e engravidou a prima. Mas aquele, se não me engano, era filho desse Eulálio garotão com a moça do umbigo, minha cabeça às vezes fica meio embolada. É uma tremenda barafunda, filha, você nem vai me dar um beijo? É desagradável ser abandonado assim, falando com o teto.

8

A memória é deveras um pandemônio, mas está tudo lá dentro, depois de fuçar um pouco o dono é capaz de encontrar todas as coisas. Não pode é alguém de fora se intrometer, como a empregada que remove a papelada para espanar o escritório. Ou como a filha que pretende dispor minha memória na ordem dela, cronológica, alfabética, ou por assunto. Em tempos encontrei certo coronel num corredor sombrio do hospital do Exército. Ele afirmou que estivera comigo quando ainda era terceiro-sargento, mas seu rosto na penumbra não me dizia grande coisa. Nem decerto o meu a ele, que me reconheceu pelo nome. Mas aí minha lembrança não era recíproca, e nesses casos, para não magoar o próximo, a gente costuma dizer, ah, sim, claro, como vai, e fica por isso mesmo. Porque dá preguiça vasculhar a memória o tempo inteiro, mas ele acreditou que eu me empenhava em recordá-lo, e quis colaborar. E só me atrapalhou mais ainda ao dizer, em francês, que quarenta anos passam voando, não entendi se citava algum poeta. Ia me despedir quando ele mencionou as provas de artilharia na Marambaia, e não sei por que não o fez desde o início, num instante tudo se iluminou. Seria mesmo inútil revirar arquivos de nomes e rostos, porque minha memória tinha guardado o sargento na paisagem. Era um dia de sol, e do alto da duna eu contemplava o trecho mais delgado da restinga, uma linha de branquíssima areia que o oceano não tragava por capricho, ou por piedade, ou por desvelo maternal ou por sadismo. As ondas espumavam simultaneamente, à direita e à esquerda da faixa de areia, era como uma praia diante do espelho. Aos pés da minha duna estava o sargento, num grupo de jovens soldados, todos de calça verde-oliva e sem jaqueta, camisetas empapadas, grudadas no corpo. Ele ajudava a posicionar um canhão na areia, conforme as instruções do engenheiro francês. Destacava-se por exibir algum conhecimento do idioma, prontificando-se a traduzir as instruções para os colegas, o que me deixava livre para contemplações. Os rapazes se esbofavam no serviço pesado, mas era Dubosc, sentado num caixote de munição, quem mais dava sinais de padecer o calor. E toda a canseira afinal se mostrou vã, pois já com a bateria a postos na linha de fogo, recebemos a notícia de que o ministro da Guerra cancelava sua visita à demonstração. O sargento traduziu a mensagem do emissário, mas foi para mim que Dubosc olhou ato contínuo. E devo convir que no francês o mau humor era premonitório, pois cedo ou tarde os desgostos vinham lhe dar razão. A mim cabia amortecer seus golpes de fúria, duas horas de carro até o Palace Hotel a lhe servir de saco de pancada. Dissimulado, pérfido, incompetente, indolente, impontual, e até mau motorista, muitos impropérios ouvi calado, por saber que em verdade não eram endereçados à minha pessoa, mas aos meus patrícios de modo geral. Dubosc vez por outra exagerava, era um engenheiro nervoso. Mal tinha chegado ao país e queria encontrar todas as portas abertas, ou senão explodi-las a dinamite. Já eu sabia que as portas estavam apenas encostadas, meu pai passara por elas outras vezes. Por ser um jovem inexperiente, como o francês pela aparência me julgava, talvez amanhã eu me visse eventualmente perdido num labirinto com setecentas portas. Mas eu não tinha dúvida de que, para mim, a porta certa se abriria sozinha. De trás dela, me chamaria pelo nome justamente a pessoa que eu procurava. E esta me anunciaria com presteza à pessoa influente, que desceria as escadas para me buscar. E me abriria seu gabinete, onde já me aguardariam várias chamadas telefônicas. E pelo telefone, poderosas pessoas me soprariam as palavras que desejavam ouvir. E de olhos fechados, eu molharia pelo caminho as mãos que meu pai molhava. E pelo triplo do preço tratado, me comprariam os canhões, os obuses, os fuzis, as granadas e toda a munição que a Companhia tivesse para vender. Meu nome é Eulálio d'Assumpção, não por outro motivo a Le Creusot & Cie. me confirmou como seu representante no país. E enquanto eu adiantava minhas providências, era até bom que Dubosc espairecesse nos passeios de barco ou nas subidas à serra para caçar capivaras, sempre com seus conhecidos da colônia francesa. Mas também não se vexava de me telefonar a altas horas, na falta de melhor parceiro, para o escoltar a um restaurante ou a um dancing. Fora do serviço revelava outro temperamento, jactava-se de seus progressos nas aulas de tango, foxtrote, charleston, maxixe, a última novidade era o ritmo do samba. E uma vez, no cabaré Assirius, depois de dançar com senhoritas de outra mesa, pediu mais uma batida de limão e me perguntou por que eu nunca me fazia acompanhar da minha mulher, que todos diziam ser tão charmosa. Não sei de onde tirou isso, no seu círculo ninguém conhecia Matilde. Disse ainda que, pelo telefone, minha esposa tinha uma voz cálida e falava um excelente francês. Já isso certamente ele disse para me lisonjear, e me fez rir porque Matilde em francês era quase tatibitate. Eu cogitara mesmo em levá-la à recepção da embaixada, e para a ocasião ela havia feito as unhas e separado um vestido cor de laranja. Mas concluí que não valia a pena, Matilde ficaria encabulada naquele meio. Política não lhe interessava, negócios, muito menos, amava fitas de caubói, mas não sustentaria uma conversação sobre literatura. Pouco sabia de ciências, geografia e história, apesar de ter estudado no Sacré-Coeur. Aos dezesseis anos, quando deixou o colégio para casar comigo, não tinha completado o curso ginasial. Estudara piano, como todas as meninas do seu gabarito, mas tampouco brilhava nessa matéria. Ainda éramos namorados no dia em que ela sentou ao Pleyel de minha mãe, e me preparei para escutar alguma peça de Mozart, compositor que ela cantara, ou fingira cantar, na missa de sétimo dia do meu pai. Mas com mão pesada, ela tocou um batuque chamado Macumba Gegê, vá saber onde aprendeu aquilo. E mamãe se despencou pela escada, para ver que diabo se passava. No dia seguinte minha mãe me perguntou se os pais de Matilde lhe consentiam estar a sós comigo em casa, toda tarde depois das aulas. Mal sabia ela que, de noite, eu espreitava da minha janela de fundos a hora de Matilde pisar a relva do jardim na ponta dos pés, entre as amendoeiras e a casa dos empregados. Eu descia correndo e lhe abria a porta da cozinha, que Matilde apenas ultrapassava. Encostava-se na parede da cozinha, a respiração curta, e me arregalava os olhos negros. Em silêncio nos olhávamos por cinco, dez minutos, ela com as mãos na altura dos quadris, agarrando, torcendo a própria saia. E corava pouco a pouco até ficar bem vermelha, como se em dez minutos passasse por seu rosto uma tarde de sol. A um palmo de distância dela, eu era o maior homem do mundo, eu era o Sol. Via seus lábios se entreabrirem, e acima deles brotavam umas gotículas de suor, enquanto suas pálpebras devagar cediam. Enfim eu me jogava contra o corpo dela, pressionava o corpo dela contra a parede da cozinha, sem contatos de pele, e sem avanços de mãos ou de pernas, por algum acordo jamais expresso. Com meu tronco eu a esmagava, quase, até que ela dizia, eu vou, Eulálio, e seu corpo tremia inteiro, levando o meu a tremer junto. Sobrevinha-me um desgosto, depois uns pensamentos paralelos, o cachorro do vizinho, a cerveja gelada na Frigidaire, o lago quente em minhas coxas, o cachorro, minhas calças e cuecas esporradas, a Frigidaire que meu pai mandou vir dos Estados Unidos, a lavadeira mostrando minhas roupas à mamãe, a cerveja na Frigidaire que papai não chegou a ver. Quando dava por mim, estava colado nos ladrilhos da parede, porque num deslize Matilde sempre me escapava. E a cada vez eu ia inspecionar salas, quartos, banheiros, porão e sótão, fingindo crer que ela teria fugido por engano para dentro de casa. Muito mais tarde, depois que ela saiu da minha vida, mantive o capricho de procurá-la do mesmo jeito, toda noite, no chalé de Copacabana.

E até o fim deixei todas as portas abertas para ela, mas eu não deveria lhe falar tanto assim da minha mulher. Lá vem você com a seringa, é melhor dormir, tome meu braço.

9

Quando eu morrer, meu chalé cairá comigo, para dar lugar a mais um edifício de apartamentos. Terá sido a última casa de Copacabana, que então se igualará à ilha de Manhattan, apinhada de arranha-céus. Mas antes disso, Copacabana se assemelhará a Chicago, com policiais e gangsters trocando tiros pelas ruas, e ainda assim dormirei de portas abertas. Pouco importa que entrem meliantes pela minha casa, e mendigos e aleijados e leprosos e drogados e malucos, contanto que me deixem dormir até mais tarde. Porque todo dia é isso, acordo com o sol na cara, a televisão aos berros, e já compreendi que não estou em Copacabana, foi-se o chalé há mais de meio século. Estou neste hospital infecto, e aí não vai intenção de ofender os presentes. Não sei quem são vocês, não conheço seus nomes, mal posso virar o pescoço para ver que cara têm. Ouço suas vozes, e posso deduzir que são pessoas do povo, sem grandes luzes, mas minha linhagem não me faz melhor que ninguém. Aqui não gozo privilégios, grito de dor e não me dão meus opiáceos, dormimos todos em camas rangedoras. Seria até cômico, eu aqui, todo cagado nas fraldas, dizer a vocês que tive berço. Ninguém vai querer saber se porventura meu trisavô desembarcou no Brasil com a corte portuguesa. De nada adianta me gabar de ele ter sido confidente de dona Maria Louca, se aqui ninguém faz ideia de quem foi essa rainha. Hoje sou da escória igual a vocês, e antes que me internassem, morava com minha filha de favor numa casa de um só cômodo nos cafundós. Mal posso pagar meus cigarros, nem tenho trajes apropriados para sair de casa. Do meu último passeio, só me lembro por causa de uma desavença com um chofer de praça. Ele não queria me esperar meia horinha em frente ao cemitério São João Batista, e como se dirigisse a mim de forma rude, perdi a cabeça e alcei a voz, escute aqui, senhor, eu sou bisneto do barão dos Arcos. Aí ele me mandou tomar no cu mais o barão, desaforo que nem lhe posso censurar. Fazia muito calor no carro, ele era um mulato suarento, e eu a me dar ares de fidalgo. Agi como um esnobe, que como vocês devem saber, significa indivíduo sem nobreza. Muitos de vocês, se não todos aqui, têm ascendentes escravos, por isso afirmo com orgulho que meu avô foi um grande benfeitor da raça negra. Creiam que ele visitou a

África em mil oitocentos e lá vai fumaça, sonhando fundar uma nova nação para os ancestrais de vocês. Viajou de cargueiro até Luanda, esteve na Nigéria e no Daomé, finalmente na Costa do Ouro encontrou antigos alforriados baianos na comunidade dos Tabom, assim chamados porque da nossa língua conservaram o cacoete de falar tá bom. E diante de meu avô repetiam seu bordão, como a corroborar que era uma terra auspiciosa, a Costa do Ouro, para tal empreendimento. E após um acerto de parceria com os colonizadores ingleses, meu avô lançou no Brasil uma campanha para a fundação da Nova Libéria. Vovô era mesmo um visionário, desenhou de próprio punho a bandeira do país, listras multicores com um triângulo dourado no centro, e dentro do triângulo um olho. Encomendou o hino oficial ao grande Carlos Gomes, enquanto arquitetos britânicos projetavam a futura capital, Petróvia. Conquistou o apoio da Igreja, da maçonaria, da imprensa, de banqueiros, de fazendeiros e do próprio imperador, a todos parecia justo que os filhos de África pudessem retornar às origens, em vez de perambularem Brasil afora na miséria e na ignorância. Mas a vocês nada disso interessa, e ainda aumentam o volume da televisão por cima da minha voz já trêmula. Eu queria dizer que meu avô foi comensal de dom Pedro II, trocou correspondência com a rainha Vitória, mas sou obrigado a ver essas dançarinas bizarras, tingidas de louro. E sem me pedir licença, os maqueiros me arrastam de novo para a tomografia, é sempre a mesma coisa. É um corre-corre com a minha maca, são essas curvas e rampas abruptas que mais parecem o Trampolim do Diabo, qualquer dia me acontece um acidente fatal. Tudo isso para mais um exame de rotina, e o doutor, que é um homem de boa posição, talvez me consiga transferência para uma casa de saúde tradicional, de religiosas. Que fique entre nós dois, mas ultimamente ando muito agitado, com certeza estão trocando meus remédios. Não duvido que ponham arsênico na minha comida, e se o pior me acontecer, não perca por esperar, os jornais cuidarão de dar notícia. E voltará à baila o assassinato do meu pai, político importante, além de homem culto e bem-apessoado. Saiba o doutor que meu pai foi um republicano de primeira hora, íntimo de presidentes, sua morte brutal foi divulgada até em jornais da Europa, onde desfrutava imenso prestígio e intermediava comércio de café. Tinha negócios com armeiros da França, amigos graúdos em Paris, e na virada do século, ainda muito jovem, fez sociedade com empresários ingleses. Espírito prático, foi parceiro dos ingleses na Manaus Harbour, e não na aventura africana de seu pai, igualmente vítima de ciúmes e maledicências. Fique sabendo que meu avô já nasceu muito rico, não iria macular seu nome por se locupletar com dinheiro público. Mas com o fim do Império, teve de buscar asilo em Londres, onde morreu amargurado. E vocês andem devagar com essa maca, tomem tento ao me passar para a cama, e tragam travesseiros de paina para as minhas costas e bunda, porque me doem as escaras e as articulações. Se amanhã eu morrer envenenado, todos aqui hão de me ver nessa televisão que não desligam nunca. Esta pocilga será interditada pela vigilância sanitária, e voltarei para puxar seus pés, e vocês vão dormir na rua.

10

Por mim, não festejaria aniversário algum, mas o garotão me apareceu no apartamento sem aviso. Ele me exibia à namoradinha de barriga de fora, era vovô para cá, vovô para lá, e só minha filha não achava graça. Conquanto se divertisse às minhas custas, sei que o garotão tinha orgulho dos meus cem anos, todo mundo se orgulha de parentes longevos. Eu também gostaria de ter conhecido meu trisavô, gostaria que meu pai me acompanhasse mais um pouco, gostaria sobretudo que Matilde me sobrevivesse, e não o contrário. Não sei se existe um destino, se alguém o fia, enrola, corta. Nos dedos de alguma fiandeira, provavelmente a linha da vida de Matilde seria de fibra melhor que a minha, e mais extensa. Mas muitas vezes uma vida para no meio do caminho, não por ser a linha curta, e sim tortuosa. Depois que me deixou, nem posso imaginar quantas aflições Matilde teve em sua existência. Sei que a minha se alongou além do suportável, como linha que se esgarça. Sem Matilde, eu andava por aí chorando alto, talvez como aqueles escravos libertos de que se fala. Era como se a cada passo eu me rasgasse um pouco, porque minha pele tinha ficado presa naquela mulher. E um dia mamãe me chamou para uma conversa, parecia algo desapontada por descobrir alguém mais infeliz que ela. Guardou-se de tocar no nome de Matilde, por saber que a chaga ainda estava ardente, e me ofereceu uma passagem para a Europa. Com olhos baixos me estendeu a caderneta de endereços parisienses do meu pai, dizendo, espero que se distraia, Eulálio. Não sei se me chamou Eulálio por um lapso, já que para ela sempre fui Lalinho, até como forma de me distinguir do marido. Agradeci, recusei passagem e caderneta, mas mamãe pretendia me curar à força, e acabou por me impingir a viagem, como colher de xarope em boca de criança. Porque se não fosse eu, iria ela própria à Europa, iria ela falar grosso com os agentes financeiros do meu pai, que não respondiam a seus telegramas. Seria ela o homem da família, e eu um marmanjo que vive de mesada. Não tinha um mês que a Le Creusot dispensara meus serviços, apesar da confiança em mim depositada até pouco tempo antes. Tanto assim que chegaram a me expedir novo lote de morteiros e modernos aparelhos de pontaria, para repor junto ao Exército Nacional o material já obsoleto, que na verdade ainda nem fora vendido. As coisas por aqui andavam um pouco mais lentamente do que se previa. Desembaraçar na alfândega artefatos e explosivos, por exemplo, era questão que meu pai resolvia com um telefonema, ou por meio de qualquer despachante. Já eu tinha de comparecer à repartição de manhã cedo, me acotovelar com gente estranha, estender meu cartão de visita, chamar a atenção do funcionário, escute aqui, senhor, meu nome é Eulálio d'Assumpção. Lembro-me do espanto do sujeito que afinal me atendeu, o senador? Filho dele, respondi, e o vi caminhar meio de banda em direção aos colegas. E pelos cochichos compreendi que o nome do meu pai, notável da República, caíra de um jeito grosseiro na boca do povo, Assunção, o assassino? Assunção, o corno? O momento político também era delicado, ministros vacilavam, e muitas horas amargamos em antessalas do governo, Dubosc e eu. O francês, que estimara em um mês sua estadia por aqui, durante quase um ano cansou de lançar projéteis no oceano Atlântico, para impressionar oficiais de baixa patente, ou para seu próprio descarrego. Não duvido que, em seus relatórios à Companhia, fizesse comentários danosos à minha reputação profissional. E se eu fosse vingativo, aproveitaria minha viagem para dar à matriz testemunho das atividades de Dubosc nas noites do Rio, sem esquecer suas caçadas na serra, ou suas excursões ao Mato Grosso atrás de índios selváticos, às custas de seus empregadores. Era o que eu ruminava no tombadilho do Lutétia, perdendo a cidade de vista, quando o mordomo veio me cumprimentar. Eu era conhecido de outras travessias naquele navio, e todo o pessoal de bordo me expressou os sentimentos pelo senador. Papai era ali admirado por seu impecável francês e suas gorjetas generosas, especialmente nas viagens de ida, ou rumo à civilização, como ele dizia. E logo na primeira noite fui convidado a cear na mesa do comandante, que perante o arquiteto Le Corbusier e a cantora Josephine Baker, ergueu um brinde à memória do meu pai e relembrou suas conversas galantes. Animado, contei da sua vigorosa amiga La Comtesse, que praticava pompoarismo com moedinha de meio franco, mas o comandante não entendeu direito a história, e a cantora entabulou assunto à parte com o arquiteto. Nas noites seguintes fui acomodado em mesa de argentinos, e vi pouco a pouco esvaziar meu prestígio no Lutétia, talvez porque já me falhasse o francês fluente do meu pai. Ou porque meu dinheiro de bolso, como tudo o que vinha de minha mãe, era comedido. De madrugada eu sentava ao balcão do bar, e o barman automaticamente me servia uma taça de Krug, o champanhe do senador. Eu deixava a bebida esquentar na taça, fumava cigarros pretos, e havia sempre uma mesa de brasileiros exaltados no recinto, falando de reses, engenhos, terras, dinheiro. É essa gente do Norte, costumava dizer meu pai, e aqueles homens gargalhantes o superavam de longe em matéria de gorjeta, que pagavam com alarde. O bar fechava ao amanhecer, e eu ia dormir um pouco mareado. Vedava a escotilha do meu camarote de popa, para não ver o acúmulo de oceano que mais e mais me afastava da minha mulher. Eu me perguntava se não teria também adquirido o tal visgo da terra, que segundo meu pai era próprio dessa gente do Norte. E ao descer em Bordeaux, onde ninguém me esperava, eu estava convencido de fazer minha última visita à civilização. Em Paris fui recebido com pasmo, me perguntaram se na América do Sul não chegavam notícias do mundo. Havia mais de um mês fora sustada a importação de café em toda a Europa, levando à falência os atacadistas sócios do meu pai. Em Londres, me falaram de calamidades financeiras, milhões de libras esterlinas fulminadas da noite para o dia, devido ao crack da bolsa de Nova York. Era o caso do espólio da família Assumpção, desafortunadamente aplicado no mercado de ações norte-americano. Dizem que desgraça atrai desgraça, e é bom que assim seja, os baques me seriam muito dolorosos se eu já não estivesse caído. Até fui grato ao míster pelo discurso conciso e pelo rápido desfecho da nossa entrevista. Tomei um trem expresso para Southampton, e em toda parte me sentia espiado com a desconfiança que suscita um estrangeiro soturno. Mais gostaria que me apontassem e rissem de mim, como nas ruas do Rio de Janeiro, onde o motivo do meu tormento era sabido. Em cima da hora zarpei de volta num cargueiro holandês, ainda consegui um beliche de proa. Quanto ao dinheiro, querendo ou não, mamãe para mim seria sempre uma salvaguarda. Sua família era talvez mais abastada que os Assumpção, só em pastagens os Montenegro possuíam metade do estado de Minas Gerais. É certo que a prole era grande, mamãe tinha cerca de vinte irmãos, mas uma única fazenda de gado leiteiro me bastaria para tocar a vida, ainda que eu vivesse cem anos. Minha pequena filha cresceria cercada do bom e do melhor, e mais bonança teria minha mulher, se algum dia voltasse para casa.

11

Pensei que você hoje não viesse mais, que estivesse de folga. A outra menina não é má pessoa, mas na pressa sempre derruba meus remédios, além de não tomar nota das coisas que falo. Daí, se amanhã você sair de férias, por favor me previna. Percebo que anda arisca, receio que se canse de tudo e vá embora de novo para sempre. Esteja tranquila porque nunca lhe perguntarei onde você passa as tardes, nem quero saber se vai ao cinema com esses médicos. Quando sair daqui, vou levá-la comigo a toda parte, não terei vergonha de você. Não vou criticar seus vestidos, seus modos, seu linguajar, nem mesmo seus assobios. Com o tempo aprendi que o ciúme é um sentimento para proclamar de peito aberto, no instante mesmo de sua origem. Porque ao nascer, ele é realmente um sentimento cortês, deve ser logo oferecido à mulher como uma rosa. Senão, no instante seguinte ele se fecha em repolho, e dentro dele todo o mal fermenta. O ciúme é então a espécie mais introvertida das invejas, e mordendo-se todo, põe nos outros a culpa da sua feiura. Sabendo-se desprezível, apresenta-se com nomes supostos, e como exemplo cito a minha pobre avó, que conhecia seu ciúme como reumatismo. Contam que ela gania de dor nas juntas, na fazenda na raiz da serra, cada vez que meu avô ia procurar as negras. Mas se declarava indiferente às andanças dele, que sempre teve esses vícios, desde fedelho se metia entre as escravas nas propriedades do seu pai, o barão negreiro. Minha avó não deixava por menos, jurava que seu marido era o pai dos filhos de Balbino, o leal criado. Dizia essas coisas com resignação na alma, mas transida de dores pelo corpo inteiro, a tal ponto que meu avô mandou vir reumatologistas de toda a Europa. Por fim trouxe da Suíça um mestre-de-obras que levantou um chalé no longínquo areal de Copacabana. E ali vovô a isolou, para que mitigasse seu sofrimento com banhos terapêuticos. Já eu, casei e fui morar com Matilde no velho chalé com o propósito de passar a vida inteira a seu lado. Só saía para o trabalho, que a princípio não me exigia grandes quês. Bastava-me pôr uma das gravatas inglesas do meu pai e andar por onde ele andava, como queria mamãe, até que algum dia acertasse meu próprio passo. No Senado era sempre bem acolhido, tomava café em diversos gabinetes, circulava pelos corredores, ficava fumando por ali, não raro era convidado para um almoço com políticos no La Rôtisserie. Senão, comia sozinho numa casa de pasto, depois passava no escritório da Le Creusot, levava um bombom para a secretária, perguntava por algum cabograma, sentava na cadeira que meu pai deixara vaga. Com os pés sobre a mesa, fumava, olhava o telefone, estava pronto para assumir as funções de papai a qualquer momento. Vez por outra ia ainda à redação d'O Paiz, tomava um café, acendia um charuto, dava um pulo no banco, e antes das quatro estava de volta. Já ao saltar do carro, ansiava por ouvir os discos esquisitos de Matilde, na vitrola que lhe dei de aniversário. Se não havia música, eu descia à praia a fim de arrastá-la para casa, e a empregada sabia que era hora de sair para o armazém, ao pressentir nosso bulício. A gente se agarrava na cozinha, na sala, na escada, horas e horas no banho, podíamos passar todo um fim de semana na cama. Às vezes tirávamos o domingo para passear de carro, mas no casarão da mamãe a gente mal parava, Matilde não fazia questão. Preferia ir à fazenda porque adorava montar, e eu ficava perturbado ao trotar na sua cola, sentia quase um desejo do cavalo. E não me esqueço do nosso alvoroço com as suas contrações precoces, em plena cavalgada, nós ali num fim de mundo. Felizmente chegamos em casa a tempo de chamar o obstetra e as enfermeiras, de modo que Maria Eulália nasceu saudável, um pouco miúda porque setemesinha. Também me lembro de como

Matilde, sem falar nada, se aborreceu com minha mãe, que só presenteou a neném com roupinhas azuis, de menino. Como desculpa, mamãe me disse que as tinha mandado bordar com grande antecedência, porque os Assumpção só fazem filho homem. E disse que os Assumpção têm sempre um filho só, é maldição de família, antes de mim ela própria perdera cinco, e cinco vezes por pouco não morria de eclâmpsia. Mas Matilde sempre vendeu saúde, e na semana seguinte já estava de maiô na praia, o corpo melhor que antes. De birra, nunca levou a menina para ver a avó, esperava que a avó viesse, e nas poucas vezes que ela veio, Matilde lhe mostrava a Eulalinha pelada. Matilde tampouco usava os vestidos de manga comprida que mamãe lhe deu, o que era injusto com os vestidos. Até lhe sugeri um cinzento de gola alta, quando saímos para dançar, porque a noite estava fresca. Mas ela teimou com o vestido de alças, cor de laranja. E quando lhe abri a porta para entrar no carro, olhei seus ombros nus e achei que nunca a tinha visto tão bonita na vida. Também vi um pedaço de suas coxas bronzeadas, quando o porteiro do Assirius abriu a porta para ela saltar. Dubosc nos esperava no salão de entrada, e curvou-se muito para beijar sua mão, Jean-Jacques, enchanté. Nossa mesa ficava perto da orquestra, e com sua voz de trombone ele ordenou batida de limão ao garçom. Eram as únicas palavras dele em português, batida de limão, e lhe pedi que as repetisse, porque Matilde achou engraçado o sotaque. Dubosc pôs-se a elogiar nossas fauna, flora e cachoeiras, mas não sei se Matilde o compreendia. Embora o olhasse muito aplicada, sentada na ponta da cadeira, percebi que ela dançava o foxtrote da cintura para baixo. E tamborilava na mesa no compasso do charleston, enquanto eu lhe descrevia em alto e bom som as falésias de ocre do Russilhão, terra natal do nosso Dubosc. Nisso a orquestra atacou o tema que tantas vezes ouvi ao longe, na vitrola de Matilde. Le maxixe!, exclamou o francês, é magnífico o ritmo dos negros!, e nos pediu que dançássemos para ele ver. Mas eu só sabia dançar a valsa, e respondi que ele me honraria tirando minha mulher. No meio do salão os dois se abraçaram e assim permaneceram, a se encarar. Súbito ele a girou em meia-volta, depois recuou o pé esquerdo, enquanto com o direito Matilde dava um longo passo adiante, e os dois estacaram mais um tempo, ela arqueada sobre o corpo dele. Era uma coreografia precisa, e me admirou que minha mulher conhecesse aqueles passos. O casal se entendia à perfeição, mas logo distingui o que nele foi ensinado do que era nela natural. O francês, muito alto, era um boneco de varas, jogando com uma boneca de pano. Talvez pelo contraste, ela brilhava entre dezenas de dançarinos, e notei que todo o cabaré se extasiava com a sua exibição. Todavia, olhando bem, eram pessoas vestidas, ornadas, pintadas com deselegância, e foi me parecendo que também em Matilde, em seus movimentos de ombros e quadris, havia excesso. A orquestra não dava pausa, a música era repetitiva, a dança se revelou vulgar, pela primeira vez julguei meio vulgar a mulher com quem eu tinha me casado. Depois de meia hora eles voltaram se abanando, e escorria suor pelo colo de Matilde decote abaixo. Bravô, eu gritei, bravô, e ainda os estimulei a dançar o próximo tango, mas Dubosc disse que já era tarde, e que eu tinha um ar fatigado. Fatigado estava ele, que pediu carona até seu hotel a duas quadras, e se recolheu sem se despedir direito, nem sequer beijou a mão de Matilde. Talvez tenha concluído, ao longo da noitada, que ela era mulher para dançar maxixe, e não de beijar a mão. E no caminho de casa Matilde pegou a assobiar, assobiava a melodia do tal maxixe. Parecia má-criação, de uma feita assobiou num jantar da minha mãe, que se retirou da mesa. Mas agora deve ter percebido o quanto me exasperava, porque se interrompeu para perguntar o que havia comigo. Nada, azia, eu disse, e não era mentira, meu estômago não suportava cachaça, que agora era moda servir até em locais requintados. Ela saiu do carro antes que eu lhe abrisse a porta, e mal entramos em casa foi para a cozinha, tinha mania de ir para a cozinha. Volta e meia levava a criança à cozinha, dava conversa às empregadas, era vezeira em almoçar ali com a babá. Então me vi tomado de um sentimento obscuro, entre a vergonha e a raiva de gostar de uma mulher que vive na cozinha. Eu seguia Matilde, que falava sozinha, que meio cantarolando perguntava pelo chá de boldo, e de repente não sei o que me deu, agarrei-a com violência pelas costas. Joguei-a contra a parede e ela não entendeu, começou a emitir gemidos nasais, o rosto achatado nos ladrilhos. Prendi seus punhos na parede, ela se debatia, mas eu a controlava com meus joelhos atrás dos seus. E com meu tronco eu a apertava, eu a espremia a valer, eu quase a esmagava na parede, até que Matilde disse, eu vou, Eulálio, e seu corpo tremeu inteiro, levando o meu a tremer junto.

12

Foi a última noite que dormi aqui, e que sonhando com ela melei estes lençóis. Como toda manhã, arrancarei a roupa de cama e farei uma trouxa, que atirarei pela janela dos fundos para a lavadeira apanhar. Mas vai restar visível uma mancha úmida no colchão, que tratarei de virar como faço toda manhã, deixando para cima o lado das manchas secas. Terei a sensação de que o colchão pesa mais um pouco a cada dia, e imaginarei que na palha dentro dele, se impregna a pasta dos meus sonhos e atos solitários. E pensarei que, se eu tivesse virado o corpo do meu pai na garçonnière, ele pesaria igual ao colchão e exalaria o mesmo cheiro. Sempre me lembrarei do meu pai de bruços no tapete ensanguentado, e de como o delegado me impediu de tocar o corpo. Ele não precisava gritar comigo, nem me apertar o braço, eu só não queria deixar meu pai daquele jeito, com a boca aberta no tapete. E queria entender por onde entraram tantas balas, porque parecia que todo o sangue dele tinha saído pela boca, aquela grande úlcera. Mas a senhora sempre me interrompe com esse negócio de doutor Assumpção, eu já lhe disse que não sou doutor. Nunca fui médico, como a senhora bem sabe, sou paciente do seu estabelecimento. Também já lhe disse que o P de Assumpção é mudo. Se a senhora o pronuncia dá a impressão de deboche, parece insinuar que a minha é uma família de pernósticos. E já que está com papel e caneta na mão, não custa nada a senhora fazer uma minuta, para adiantar o serviço da sua funcionária. A coitada ganha uns caraminguás no plantão noturno, atende a todo mundo ao mesmo tempo, e ainda tem de escrever minhas memórias. Quando a senhora me acordou, por coincidência eu acabava de acordar no casarão de Botafogo, e aposto que minha mãe mandou queimar o colchão naquele mesmo dia. No chalé de Copacabana a cama era de casal, senão ela também o despacharia com a mudança. Mamãe reaproveitou o que podia para equipar a casa, e alguns móveis comprou de segunda mão, porque já tivera muita despesa com uma reforma a toque de caixa. O anúncio do meu casamento pegou-a desprevenida, e ela chegou a me recusar sua bênção, enquanto eu não me diplomasse ou arranjasse um emprego. A Faculdade de Direito estava fora de cogitação, eu mal punha os pés lá dentro, mas o emprego, consegui de imediato. O pai de Matilde me recebeu com simpatia extrema, me garantiu que o filho do senador Eulálio d'Assumpção teria cadeira cativa em seu gabinete, ficou até de apressar minha filiação ao partido. Muito prosa, participei o sucesso à minha mãe, que teve uma reação destemperada, perguntou se eu já me havia esquecido do assassinato do meu pai. Por um instante embasbaquei, eu não podia figurar meu futuro sogro de pistola em punho, muito menos sua gorda mulher como pivô de um crime passional. Mas minha mãe se referia aos nossos adversários políticos, que para ela eram sempre os mandantes do crime. Eu andava um tanto alheio ao noticiário, ignorava que o pai de Matilde, cuja carreira medrara à sombra do meu pai, se bandeara gostosamente para a oposição. E já ciente de que não podia enfrentar Matilde, mamãe me propôs uma mesada de três contos de réis, mais as obras no chalé, contanto que renunciasse à proposta daquele traidor. Acabei levando quatro contos, e de abono o Ford usado, depois de a fazer ver que um assessor de deputado federal não ganhava menos que isso. Fui ao meu futuro sogro, agradeci-lhe a oportunidade, mas ponderei que minhas raízes no campo conservador não me permitiriam servir a um parlamentar liberal. Ele respondeu que respeitava minhas convicções, mas tampouco poderia confiar a mão da filha quase impúbere a um cidadão sem palavra. Foi quando Matilde entrou com o lance decisivo, comunicou aos pais que estava grávida. Não era verdade, Matilde nunca abriu mão de casar virgem. Mas para um deputado federal, por mais liberal que fosse, ter uma filha mãe solteira não convinha. Então o deputado cedeu a filha, e seus eleitores nunca souberam que ele a deserdou no mesmo ato. Como aliás ninguém soube do casamento, a cerimônia no casarão foi discreta, não imprimimos convites, os proclamas foram lavrados num desses jornais que gente de respeito não lê. A rogo de minha mãe, o padre da Candelária se abalou da sua paróquia, e tive a impressão de que ruborizou ao me ver em pé defronte dele. Fez o sermão de cabeça baixa, e tinha um ar mais lastimoso que nas exéquias do meu pai, talvez acabrunhado pelo vestido informal de Matilde, estampado com flores vermelhas. Foram testemunhas de minha parte mamãe e Auguste, o chofer que meu pai importara da França com seu primeiro Peugeot, ainda antes da guerra. Da parte de Matilde improvisou-se o tio Badeco, um irmão de mamãe que estava de passagem pelo Rio de Janeiro. E a quarta testemunha seria a lavadeira, substituída afinal pela mãe de Matilde, que apareceu de surpresa com o ofício já adiantado. Usava o mesmo chapéu da missa do meu pai, com um véu escuro a lhe cobrir o rosto, e foi a única a comungar, ao lado de mamãe. A partir daí as duas estreitaram sua amizade, e os chás com pão-de-ló no casarão se repetiram, com intercâmbio de lamúrias. E um dia a gorda mãe de Matilde deixou escapar que a menina não era filha sua, mas fruto de uma aventura do deputado, lá para as bandas da Bahia. Mamãe não tardou a me chamar ao casarão, e me fez a revelação na biblioteca do meu pai, onde se tratavam temas graves. Deve ter outras, ela disse, o traidor deve ter outras famílias por lá. E depois de um suspiro acrescentou, é essa gente do Norte. Tenho para mim que aquilo não passava de invencionice, a mãe de Matilde buscava se eximir da culpa por não defendê-la do repúdio paterno. Nem levei a história adiante, e Matilde por certo se riria dela. Como hoje acho graça da minha revolta pueril, quando espalharam no colégio que eu era filho adotivo. Era uma brincadeira trivial, qualquer criança passa por isso, e até mamãe riu um pouquinho ao ouvir meu relato. Mas deve ter notado que a chacota mexeu comigo, pois logo mais, num momento de ira, usou-a para me punir. Na ocasião meu pai presidia a comissão de assuntos agrários do Senado, e houve uma rebelião de caboclos fanáticos no Sul. E toda noite uma assessora telefonava para que mamãe não o esperasse, pois o senador ficaria retido até de manhã em assembleia permanente, ou em conferência no Estado-Maior do Exército, ou a portas fechadas com o presidente Venceslau. Mamãe já deveria estar habituada, meu pai dormia fora com frequência, bastava o país entrar em crise. Mas ela sempre ficava nervosa, andava às tontas pela casa, subia e descia as escadas à toa, do que eu me aproveitava para enervá-la um pouco mais. Chutava as empregadas, simulava desmaios, nesse dia pus os cotovelos na mesa e resolvi comer de boca aberta. Depois de me repreender duas, três vezes, mamãe me mandou terminar o almoço na cozinha. Então eu a afrontei, com a boca escancarada exibi-lhe minha maçaroca de arroz, feijão, bife e batata, acho que já estava mesmo a fim de levar uns tapas na cara. Como também, de quando em quando, acho que sentia falta de baixar as calças para meu pai me surrar com o cinto. Depois gostava de subir no banco do banheiro, em soluços, para ver no espelho da pia as marcas da fivela em minhas nádegas. E quando mamãe se levantou da cabeceira, marchando na minha direção, antecipei-me ao golpe e desatei a chorar e a me mijar. Ela ergueu a mão aberta, mas na hora H mudou de ideia. Olhou-me bem de perto e disse que, entre os Montenegro de Minas Gerais, ninguém tinha beiços grossos como os meus. A comida, cuspi no prato, mas fiquei com a ofensa engasgada esses anos todos. E agora lhe perguntei en passant, ao sair da biblioteca, por que ela nunca me contara que tio Badeco Montenegro tinha cabelo pixaim.

13

Eulálio Montenegro d'Assumpção, 16 de junho de 1907, viúvo. Pai, Eulálio Ribas d'Assumpção, como aquela rua atrás da estação do metrô. Se bem que durante dois anos ele foi uma praça arborizada no centro da cidade, depois os liberais tomaram o poder e trocaram seu nome pelo de um caudilho gaúcho. A senhora já deve ter lido que em 1930 os gaúchos invadiram a capital, amarraram seus cavalos no obelisco e jogaram nossas tradições no lixo. Tempos mais tarde um prefeito esclarecido reabilitou meu pai, dando seu nome a um túnel. Mas vieram os militares e destituíram papai pela segunda vez, rebatizaram o túnel com o nome de um tenente que perdeu a perna. Enfim, com o advento da democracia, um vereador ecologista não sei por que cargas-d'água conferiu a meu pai aquela rua sem saída. Meu avô também é uma travessa, lá para os lados das docas. E pelo meu lado materno, o Rio de Janeiro parece uma árvore genealógica, se duvidar mande um moleque comprar o mapa da cidade. Estes são meus dados pessoais, caso a senhora tenha interesse em atualizar o cadastro. O resto são bagatelas de que não me ocupo, aliás não pedi para estar aqui, quem me internou foi a minha filha. Convênio médico não é assunto meu, e se não estiver quite, por favor dirija-se à dona Maria Eulália. Para efeito de contabilidade, quem paga minhas despesas é meu tataraneto, Eulálio d'Assumpção Palumba Neto. E se fizer questão de saber de onde procedem seus rendimentos, eu lhe afirmo que não tenho a menor ideia. Sou muito grato ao garotão, mas para ganhar milhões sem instrução alguma, deve ser artista de cinema ou coisa pior, pode escrever aí. Mas a senhora não escreve nada, a senhora abana a cabeça e me olha como se eu falasse disparates. As pessoas não se dão o trabalho de escutar um velho, e é por isso que há tantos velhos embatucados por aí, o olhar perdido, numa espécie de país estrangeiro. Disparates quem fala é a minha filha, que tem oitenta anos e olhe lá. O garotão viaja para não sei onde, anda com malas cheias de dinheiro, e ela diz, este sim é um legítimo Assumpção. Mas o dinheiro dos Assumpção sempre foi limpo, era dinheiro de quem não precisa de dinheiro. Saiba a senhora que ao ganhar do presidente Campos Sales a concessão do porto de Manaus, meu pai era um jovem político bem-conceituado, sua fortuna de família era antiga. Não sei se alguma vez lhe contei que meu bisavô foi feito barão por dom Pedro I, pagava altos tributos à Coroa pelo comércio de mão-de-obra de

Moçambique. Se hoje enfrento privações, em breve viverei à larga, são contingências de quem costuma lidar com grandes somas. Ontem mesmo falei com meus advogados, e finalmente está para sair o ressarcimento pela desapropriação da minha fazenda na raiz da serra. Entra governo, sai governo, são sessenta anos de um processo contra a União, para rever uma indenização irrisória que me estipularam à primeira vista. Quem me chamou a atenção para o esbulho foi meu genro, que desejou conhecer a antiga propriedade onde Maria Eulália por um fio não veio à luz. Confesso que, para mim, era um pouco melancólico ver as ruínas da sede colonial, a capela em esqueleto, o estábulo carbonizado, a relva seca e a terra estéril da fazenda da minha infância. Aquela área rural tinha sido ocupada por indústrias, e algumas favelas já infestavam a redondeza. Mas Amerigo Palumba, que não conhecera a fazenda em seu esplendor, ao chegar à margem do ribeirão disse, cazzo, isto é o paraíso. Naquele momento, de fato, o ribeirão dava espetáculo, com o sol rasante em suas densas águas verdes, que em seguida ganharam um tom mostarda. E uma lufada de vento, talvez proveniente dos lados da fábrica de celulose, nos trouxe um odor sulfuroso que provocou ânsias na minha filha grávida. Mas se a fazenda estava prejudicada para a lavoura e o lazer, seus duzentos alqueires seriam cruciais para o traçado da rodovia. Isso a perícia não levara devidamente em conta, segundo me foi dito no suntuoso escritório de advocacia contratado por Palumba. Antes de me trair a confiança, meu genro dava mostras de um tino comercial que, devo reconhecer, nunca foi meu forte. Tivemos alguns colóquios no meu chalé em Copacabana, onde ele me visitava à noite, trazendo uma garrafa de uísque em estojo acetinado. Dizia representar grupos financeiros internacionais, responsáveis por vultosos investimentos em fundos de reconstrução da Europa. Entre seus clientes, contava amigos da nobreza italiana, que para fazer dinheiro líquido, não hesitavam em vender seus castelos para excêntricos milionários americanos. Era evidente aonde Palumba queria chegar, quando se detinha a observar o chalé, via rastros de cupim em suas madeiras, perguntava pela metragem do terreno. E Maria Eulália, ao seu lado, não se pejava de desdenhar a casa onde nasceu e foi criada, esta ridícula arquitetura suíça num país tropical. O casal me sugeria vender o chalé a alguma empreiteira, para me estabelecer com minha mãe no casarão neoclássico de Botafogo. Quando menos porque eu poderia confortá-la com minha presença, mesmo que ela já não me reconhecesse. O distúrbio de mamãe começara anos antes por um tipo de disfasia, ela falava clara e correntemente, mas com as palavras todas trocadas. E ao perceber que ninguém a compreendia, enfezou-se, passou a falar francês e pronto. Também em francês trocava as palavras, mas seu chofer Auguste não só a compreendia, como lhe respondia com palavras ainda mais embaralhadas. Ela o chamava de Eulalie, e ele, com avançada esclerose, atendia à vontade pelo nome do antigo patrão. E sentava-se com ela na sala, dava-lhe o braço no jardim, permitia-se chamá-la simplesmente pelo prenome, também afrancesado para Marie Violette. Quando Auguste morreu na cama dela, usando um pijama com o monograma do meu pai, mamãe enviuvou de novo, de um luto mais profundo que o primeiro. E agora já não falava língua alguma, não se locomovia, nem sequer chorava, me enternecia assisti-la assim, com sua tristeza enfim cristalizada. Enquanto isso minha filha cheia de entusiasmo, com a barriga saliente e planos mirabolantes, me instigava a depositar o futuro da família na carteira de investimentos de Amerigo Palumba. Mas como eu não sabia me desfazer da casa de Matilde, comecei a considerar a hipótese de sacrificar o casarão de Botafogo, que acarretava muitas despesas, com uma dúzia de empregados. Para sustentar seu trem de vida, mamãe contava com pouco mais que a pensão vitalícia do meu pai, pois da partilha dos Montenegro lhe couberam uns títulos do Tesouro Nacional, de escasso valor. Respirei fundo, e com uma fisgada no peito autorizei os Palumba a vender o casarão. Cuidei pessoalmente da remoção de mamãe, vim com ela na traseira da ambulância, sem tirar os olhos de seus olhos baços. Ela foi instalada com sua enfermeira num quarto lateral do chalé, onde não a molestaria o vento sudoeste. Mas já no dia seguinte, sem sobressaltos, simplesmente deixou de respirar. E olhe que antes e depois do translado, o médico tinha medido sua pressão, estável, de menina. Para ele, mamãe teria pela frente muitos anos de vida, ainda que vegetativa. Já para o jardineiro do casarão, mamãe era mesmo como a flor, que ao mudar de vaso às vezes fenece.

14

Se eu não puder ir junto, farei um cheque para você comprar um vestido bacana, assim que o dinheiro entrar na minha conta. Não se acanhe, porque numa butique de Ipanema qualquer rapariga vai lhe aconselhar tão bem quanto eu. Você pode rir, mas no meu tempo nem havia butiques, com o meu dinheiro você compraria um corte em loja de fazendas, para a modista copiar um croqui de revista francesa. Mulheres mais abonadas faziam como mamãe, que todo ano acompanhava meu pai à Europa e trazia vestuário para as quatro estações. Isso quando era moça, porque depois dos trinta desistiu de viajar com ele, contentava-se em lhe fazer as encomendas. Mas quem numa emergência necessitasse um modelo exclusivo podia recorrer a umas madames francesas que os negociavam em casa, recém-importados de ateliês de alta-costura. Papai era freguês das madames, e dias antes da sua morte estive com ele num desses endereços. Voltei agora, passado pouco mais de um ano, atrás de um vestido que fizesse justiça às formas de Matilde sem ofender minha mãe. A madame me indicou um tailleur de seda cor de areia, sóbrio mas rente aos joelhos, como então usavam em Paris moças racées de seus dezessete anos. E mesmo comovida com o presente fortuito, Matilde relutou em sair comigo. Nem admitiu levar a Eulalinha no moisés, porque além de uma febrícula intermitente, a pequena tinha medo de gente velha. Eu deveria ter previsto, Matilde ia feliz da vida a qualquer lugar que não fosse a casa da minha mãe. Nem uma semana atrás ficou num frenesi para me acompanhar ao cabaré, e agora eu não saberia o que dizer a Dubosc. Chegar sozinho ao jantar pareceria uma desfeita ao francês, de quem em parte dependia meu êxito profissional. Matilde dobrou-se enfim ao argumento, de resto podia como sempre confiar nossa filha à babá, uma pretinha que era quase da família. Eu praticamente a vi nascer, pois era a irmã caçula do meu cupincha Balbino, lá da raiz da serra. O próprio Balbino esteve outro dia no chalé para conhecer a Eulalinha, e aproveitou para nos trazer da fazenda um balaio cheio de mangas. A mim ele já incomodava um bocado, porque estava sempre rindo à toa, e andava com umas calças roxas que eu nunca tinha visto homem usar. Mas caiu nas graças de Matilde, desde o dia em que lhe arreou o melhor cavalo da fazenda. Ela se encantou com o alazão, e não via a hora de montar de novo, tão logo seus seios pesassem menos. O leite de Matilde era exuberante, agora mesmo ela encheu duas mamadeiras antes de dar o peito à criança. Eu gostava de vê-la amamentar, e quando ela trocava a criança de peito, às vezes me deixava bicar no mamilo livre. Com isso saímos um pouco atrasados, ficando as mamadeiras com a Balbina só por precaução, pois um jantar na minha mãe não passaria das onze. Nos tempos do meu pai, sim, os banquetes no casarão eram célebres por atravessar a noite, reuniam políticos de todas as correntes e as mulheres mais deslumbrantes da cidade. Ardiam tochas no jardim, a casa cheirava a alfazema, até as estátuas estavam de banho tomado, e eu menino gostava de circular pelos salões silenciosos e solenes, minutos antes do início da festa. Gostava de ser o dono daqueles espaços ainda imaculados, só eu com minhas sombras a deslizar no mármore, diante de garçons perfilados como sentinelas. Mas este seria um jantar reservado, sem garçons nem tochas, porque mamãe ainda guardava luto, e a muito custo concedera em abrir a mansão para um simples engenheiro. Como imagino o quanto lhe custara ao amor-próprio escrever seguidas cartas à Companhia, até conseguir para o filho o antigo posto do marido.

Mas no que o vigia abriu o portão, me surpreenderam as fartas luzes em todas as janelas, como numa casa de muitas crianças. Com o jardim às escuras, o casarão parecia flutuar na noite, quase mais imponente que nos tempos de papai. Talvez mamãe quisesse deixar claro aos franceses que, no fim das contas, a casa dos Assumpção não lhes devia favor algum. Ela estava ao piano, que desde a viuvez praticava sem soar, apenas roçando as teclas, para honrar meu pai e não esquecer Chopin. Passou comigo e com Matilde para o sofá luís-quinze ali mesmo na sala de música, onde o mordomo nos serviu o champanhe e o seu refresco. Sentado entre as duas, eu me sentia um pouco tenso de postura, o sofá luís-quinze não era confortável. Permanecemos um tempo sem assunto, ao som do pêndulo do grande relógio, enquanto Dubosc não chegava do seu habitual coquetel na embaixada francesa. Mamãe amava o silêncio, e para o ressaltar, em breve voltou ao piano e retomou sua valsa muda. Mas quando o relógio deu dez horas, fechou a tampa com estrondo, chamou o mordomo com um sininho e mandou servir o jantar. Matilde levantou-se num pulo, como era do seu jeito, e postou-se na minha frente para ser admirada, o vestido areia sobre o sol estampado em sua pele. Então pode ser que eu a tenha despido com os olhos, como se dizia, porém neste momento a memória me prega uma peça. Dispo Matilde com os olhos, mas ao invés de vê-la nua, vejo o vestido sem o corpo dela. Vejo-me a cheirar o vestido, a alisá-lo por fora e por dentro, a agitá-lo para ver o caimento da seda, vou levá-lo. Em troca de seiscentos mil-réis, recebo o embrulho de umas mãos velhas, cheias de pintas, e acho que era aí que eu queria chegar. Cheguei às mãos sarapintadas da madame, de quem vi meu pai comprar um vestido rodado azul-celeste, na mesma semana em que foi assassinado. Na hora dei menos atenção ao vestido que à maneira como meu pai o agarrou, cheirou, alisou devagar, agitou a esmo, e mandou embrulhar para presente. Eu não poderia supor que, na noite seguinte, aquele vestido compareceria à última grande festa do casarão. Nem o distingui de outros tantos modelos azuis, quando passou debaixo do meu nariz, no corpo de uma mulher que entrava de braço com o marido na sala de música. Por um acaso notei a mulher, ombros sardentos e cabelos castanhos, bem mais alta que o marido. O casal ia ao encontro do meu pai, que bebia um drinque encostado no piano, onde um pianista cego tocava um ragtime. Vi meu pai beijar a mão da mulher e apertar a do marido, que em seguida se virou para um garçom. E não entendi por que a mulher, naquele instante, passou as mãos no próprio corpo e sorriu para o meu pai, que muito sério a fitou e logo desviou os olhos. Somente hoje, oitenta anos passados, como um alarme na memória, como se fosse azul-celeste a cor de uma tragédia, reconheço na mulher o vestido rodado que meu pai comprou na véspera. É o próprio, não há dúvida, eu poderia identificá-lo até pelo avesso, meu pai o tinha alisado por fora e por dentro, frente e verso, assim como a mulher o alisa agora de cima a baixo. E é quando o marido de relance olha para ela, que sorri para o meu pai, que olha para ela, que olha o marido, que olha meu pai, que olha o pianista cego, e ela ajeita os cabelos. É decerto uma cena crucial, mas que naquela noite negligenciei, até porque papai não era dado a mulheres de cabelos castanhos. Saí da sala, fui beliscar alguma coisa no bufê, e a minha cabeça agora fraquejou, onde é que eu estava mesmo? Acho que me perdi, me dê a mão. Sim, eu estava no jantar da minha mãe, e o mordomo me chamava com gestos agoniados. Na copa, deparei com uma dezena de garrafas de borgonha abertas, cheirando a mofo e frutas podres, e deduzi que os tintos de papai, intocados no porão, não sobreviveram ao verão carioca. Mandei buscar cervejas na Frigidaire, pois mesmo abstêmia, minha mãe não suportaria ver um vinho branco em mesa de carne vermelha. Mamãe, Matilde e eu já tínhamos saboreado os acepipes, a salada, a galantina, e estávamos nas pernas de cordeiro, quando chegou Dubosc. Trazia duas rosas meio passadas, branca para minha mãe e vermelha para Matilde, além de um prato de papelão com empadinhas, que mamãe mandou o mordomo dar aos criados. Desolado pelo atraso, serviu-se do cordeiro e logo se pôs a falar de uns índios xavantes, com quem seus amigos franceses tencionavam fazer contato. Matilde deu um breve assobio e perguntou se esses xavantes não seriam caçadores de cabeças, como os que tinha visto no cinema Pathé. Falava em seu francês escolar, articulando as palavras como quem passa um ditado, e Dubosc achou graça. Disse que a serviço da Companhia já tinha visto de tudo, falou de tufões na Polinésia e da malária contraída em Madagascar. Perguntou pela procedência do cordeiro, magnífico, e sem esperar resposta farejou toques africanos no tempero, como em tudo o mais aqui no Brasil. Aí minha mãe retrucou, num francês enérgico, que o molho era à base de ervas da Provença, cultivadas em nossa horta por Auguste, o chofer francês. E ao saber que um compatriota, em noites de cordeiro, virava chefe de gastronomia, Dubosc não teve dúvidas em deixar a mesa para o congratular. Sua voz retumbava na cozinha, suas gargalhadas se fundiram com o estrondo de um trovão. Relampejou, as luzes da casa começaram a oscilar, e mamãe mexia os lábios como se rezasse para dentro. Um raio caiu na vizinhança, e como era comum em dias de temporal, foi-se a luz. A casa silenciou, exceto pelo pêndulo no salão e pela voz de minha mãe afinal audível. Como um espanhol, dizia mamãe, o sujeito fala francês como um espanhol, ela não tinha aprovado o acento do engenheiro. Veio o mordomo com um candelabro de oito velas, mamãe se levantou, tomei o candelabro e dei-lhe o braço, mas ela recusou o apoio e saiu andando na minha frente. Fui iluminando seu caminho pelos salões, sua sombra se fraturava nos degraus da escada, segui-a pelo corredor e a acomodei em seu quarto. Ao fechar sua porta, me vi sem o candelabro, e parei à espera de algum relâmpago para me orientar. Alcancei a escada tateando paredes, e do vestíbulo vinha uma luz de vela e uma batida insistente. Com um calafrio pensei no meu pai, a percussão da espátula no estojo de ébano, mas era o mordomo que estava batendo o gancho do telefone de parede. Não dá linha, ele disse, e tomei seu castiçal, que tremia um pouco na minha mão. A chama se apagou perto da porta de entrada, que o vento deve ter aberto. Cheguei cego à sala de jantar e sussurrei, Matilde, Matilde, não sei por que falava assim tão baixo. Também sussurravam na copa, onde à luz de velas enfiadas em gargalos, os empregados comiam empadinhas com vinho estragado. Da cozinha vinham risos abafados, e julguei ouvir Matilde cochichando em francês, ca-ça-do-res de ca-be-ças. Ali a vi sentada no chão com o velho Auguste, partilhando uma bandeja de pâtisserie ao pé do fogão com a lenha em brasas. Olhei em torno e, sem ser perguntada, Matilde disse que ele tinha acabado de sair com os amigos franceses. Então voltou a eletricidade e ouviu-se um longo oh, como à interrupção de um filme bom ou de um sonho coletivo.

15

Não vou mentir, tive outras mulheres depois dela, levei mulheres para casa. E quando a babá Balbina ouvia nosso bulício, saía com você para a praia, mesmo à noitinha, às vezes debaixo de chuva. Bem que tentei buscar companhia noutra parte, cheguei a visitar prostíbulos, sem me animar. Moças que eu conhecia da garçonnière também me receberam em domicílio, e fracassei seguidamente. Porém meu desejo pela sua mãe permanecia vivo, sua lembrança me assaltava na cama, no banho, na escada, a cozinha eu até evitava. Então tratei de atrair mulheres para o âmbito dos meus desejos, mas nada era assim tão simples. Não me atrevia a deitar putas no leito conjugal, e entre as damas disponíveis, nem todas se sujeitavam a vestir as roupas da sua mãe. Mesmo as mais desenvoltas, quando circulavam no quarto vestidas de Matilde, em geral se revelavam um embuste, pareciam umas ladras. As que afinal se acertavam comigo, eu as despedia num táxi o quanto antes, na ilusão de que sua mãe reapareceria sem aviso. Como essas poucas não costumavam atender a um segundo apelo, cedo me tornei um tipo de ermitão. Fechava-me no quarto, fumava um cigarro atrás do outro, tinha por consolo folhear as revistas ilustradas que então entravam em grande voga. Era capaz de vislumbrar sua mãe em qualquer foto de mulher à meia distância, ora a caminhar na avenida Central, ora deitada numa praia do Nordeste, ora a cavalgar nos pampas, e recostado na cama me satisfazia examinando tais figuras. A fim de arejar um pouco minha vida, até pensei em chamar amigos aos sábados, para beber um conhaque, falar de esportes, quem sabe reuni-los para um bridge à maneira do meu pai. Mas se nem nos tempos de estudante eu havia feito amigos, difícil seria agora que morava numa casa nada convidativa. A verdade é que sem sua mãe, o chalé outrora tão solar foi se deteriorando. E por mais que se erguessem edifícios à sua volta, era a sombra de Matilde que eu via sempre em cima dele. Você, não vi crescer direito, você crescia nas sombras da casa assombrada. Já entregue a magazines em cores, franceses, americanos, descuidei de acompanhá-la como nos primeiros tempos, logo que sua mãe nos deixou. Na época, eu frequentemente amanhecia inquieto, ia acordá-la para verificar o que restava de Matilde no seu rosto. Não era loucura minha, a Balbina também notava que cada dia você perdia mais um traço da mãe, e nesse passo já perdera todo o desenho original da boca, fora o negro dos olhos e a tez acastanhada. Era como se, na calada da noite, Matilde passasse para buscar suas coisas no rosto da filha, em vez dos vestidos no armário ou dos brincos na gaveta. Até minha mãe, que não era de lhe dar muita atenção, se impressionou de ver como você se transfigurava. A menina está mesmo enfeitando, disse mamãe com vaidade distraída, pois você mais e mais se assemelhava a ela própria. Entretanto, à parte o afeto que me ligava a você, eu não a levava a passeio por recato, tê-la comigo me parecia uma desnaturação. Da babá ao portuguesinho do armazém, todos sabiam que a sua mãe, desarvorada, tinha partido sem deixar um bilhete ou fazer a mala. Mas abandonar uma criança ainda lactente, pequerrucha, de se carregar debaixo do braço, isso não entrava na cabeça de ninguém, não fazia sentido, não podia ser. Nem de um marido a mulher abre mão tão facilmente, ela o troca por outro, e às vezes o faz às pressas porque já vai a ponto de mudar de ideia. Assim como sofre para se desfazer de um vestido velho, quando renova o guarda-roupa. Para uma mãe largar sua criança, só mesmo se outra criança a arrastasse pela cintura com a força de um amante. Por isso, num primeiro momento, cheguei a pensar que a sua mãe estava de barriga, quando fugiu. Sim, Matilde grávida talvez não a levasse mesmo, por já levar na barriga a criança do homem que a arrastou de mim. O que também explicaria seu comportamento nos últimos tempos, quando passou a me repelir. Sua mãe se alheou de tudo, da noite para o dia seu leite secou, nunca lhe contei essas coisas? Então me desculpe, esqueça, você deveria ter me advertido, dê cá um beijo. Vai ver que andei delirando, e de bom grado voltarei a falar somente de coisas que você já sabe. Se com a idade a gente dá para repetir casos antigos, palavra por palavra, não é por cansaço da alma, é por esmero. É para si próprio que um velho repete sempre a mesma história, como se assim tirasse cópias dela, para a hipótese de a história se extraviar. Não sei se já lhe contei como conheci Matilde na missa de sétimo dia do meu pai, quando ela falou Eulálio de tal jeito, que nem mesmo atrizes sensuais conseguiram reproduzir na minha cama. Também acho que lhe contei como fui vigiá-la um dia depois, toda serelepe à saída da escola, era a mais moreninha da classe. Passei a buscá-la todo dia, só de Matilde no saguão da escola juntei recordações em série para o resto da vida. Daí meu susto quando você entrou sem bater no meu quarto esfumaçado, blusa branca e saia azul-marinho, eu não me lembrava de tê-la visto antes com o uniforme do Sacré-Coeur. Pulou sobre o meu estômago e me abraçou chorando, porque espalharam na escola que você era filha de uma mendiga. Fiquei sem graça, eu estava escarrapachado na cama, e você com os sapatos por cima das minhas revistas, onde mulheres exóticas se faziam passar por Matilde. E soluçava sem parar porque tinha virado motivo de zombaria, disseram até que você foi achada pelas irmãs de caridade numa lata de lixo. Recompus-me, recolhi as revistas e falei, ora, ora, minha filha, ora, ora, eu não sabia o que falar. Senti remorso por não ter feito a vontade da sua mãe, que chegara a telefonar para um estúdio fotográfico na cidade, onde posaríamos para um álbum de família, nós três. Matilde se queixava com razão, não tínhamos nem a clássica fotografia de casamento, mas fui protelando o estúdio, depois tudo desandou. Ora, ora, minha filha, ora, ora, eu agora passava os dedos nos seus cabelos claros, e definitivamente nada havia em você para se apontar, caramba, isto é a cara da sua mãe. Vestidos com mofo no armário ou bijuterias com ferrugem na gaveta, que bem ou mal me ficaram de lembrança, para você não eram nem vestígios dela. Então presumi que a família de Matilde deveria guardar pelo menos uma fotografia dela em criança, talvez um retrato da primeira comunhão para você mostrar às colegas. No fim da tarde fui à casa de mamãe, que recebia a mãe de Matilde para um chá, e ouvi suas vozes plangentes no jardim-de-inverno: ela... as andanças dela... as companhias dela... o destino dela... Com a minha entrada as duas desconversaram, passaram a falar da iminência de nova guerra na Europa, das levas de refugiados que aportavam no país diariamente: em Copacabana, Maria Violeta, só se ouve falar alemão e polaco... é aquele povo, Anna Theodora, é tudo gente daquele povo... Aproveitei a primeira brecha para solicitar à dona Anna Theodora uma lembrancinha da filha, uma foto qualquer só por uns dias, mas ela baixou a vista e avançou no pão-de-ló. E mamãe tocou o sininho, deu ordem para Auguste manobrar meu automóvel, porque eu estava de partida. Pois bem, na manhã seguinte decidi levá-la à escola, e você deve se lembrar porque ficou excitadíssima, nunca tinha entrado no meu carro. Mas fez questão de que eu estacionasse uma quadra adiante, chegar à escola com um pai seria o fim do mundo. Vi-a caminhar com sua pasta, os pés um pouco virados para dentro, olhando para trás de quando em quando, até se misturar na calçada a mães, babás, governantas, motoristas e quantidade de colegiais que desciam dos carros ou saltavam do bonde. Quando cessou o movimento, cruzei o portão da escola e por força do hábito parei uns bons minutos no saguão, meu velho posto de espera. Recuei ao pé da escada, recuei dez anos para reviver o dia em que vi Matilde descer pelo corrimão, sendo suspensa das aulas por uma semana. Subi à diretoria e me fiz anunciar à madre superiora como pai de Maria Eulália, aluna do terceiro ano primário. Notre Mère folgou em me receber em particular, já que não tivera o prazer de me ver ou à minha mulher em reuniões de pais. Escusei-me, eu viajava a negócios boa parte do ano, ademais era viúvo, minha mulher por sinal também estudara no Sacré-Coeur. Notre Mère mostrou-se consternada ao saber que uma ex-aluna falecera aos dezessete anos em trabalho de parto, de eclâmpsia. Também sentiu muito por minha filha, em quem de fato já observara na hora do recreio certa timidez, para não dizer um temperamento misantrópico. E concordou comigo em que seria reconfortante para uma pequena órfã ouvir histórias de quem conviveu com sua mãe naquela mesma casa, quiçá conhecer sua sala de aula, rabiscar seu quadro-negro, sentar-se à sua carteira. Descer pelo corrimão, arrisquei, e Notre Mère riu, balançando a cabeça. Só que, Matilde, Matilde, francamente ela não recordava nenhuma Matilde. Matilde Vidal, insisti, e sua secretária Mère Duclerc, que parecia cochilar em cima do breviário, se manifestou, Vidal? Bien sûr, e declinou de um jato o nome das seis irmãs de Matilde: Anna Theresa, Anna Amélia, Anna Christina, Anna Leopoldina, Anna Isabel e Anna Regina. De Matilde, no momento ela tampouco lograva se lembrar, mas logo se empertigou na escrivaninha para consultar seu fichário. Em silencioso tête-à-tête com Notre Mère, procurei decifrar seu meio sorriso congelado, seus olhos cinzentos a me fitar, seu plácido semblante e seus dedos nervosos, viciados em contas de rosário. E não tive dúvida de que ela sabia tudo, de mim, da filha enjeitada e da perdição da mãe. Voilà, disse Mère Duclerc, e me passou uma fotografia da turma da seconde em 1927. Via-se uma dezena de alunas sentadas, com as mãos cruzadas sobre o regaço, à frente de outras tantas em pé, com os braços duros para baixo. Eram as colegas de Matilde, conheci seus rostos. Mas faltava ela, naquele dia Matilde talvez estivesse suspensa.

16

Tenho fome. Os enfermeiros aqui são rancorosos, com exceção daquela moça, no momento não me vem o nome dela. Na falta dela, alguém precisa se ocupar de mim. Dispenso salamaleques, odeio intimidades, exijo atendimento neutro, profissional. Tragam-me por obséquio a minha goiabada, tenho fome. Virei o prato no chão, não nego, e voltarei a fazê-lo sempre que o bife vier com nervo. Sem falar que a comida cheirava a alho, deixem minha mãe saber. Deixem mamãe me cheirar, tão logo volte da missa, e ela vai descobrir que me serviram a comida dos empregados. Porque quando a babá sai de folga é sempre o tal negócio, ninguém tem paciência comigo. Mas estou com fome e sou capaz de ficar batendo com a cabeça na parede até me servirem a sobremesa. E quando meu pai perguntar que galo é esse na minha testa, vou lhe contar que nesta casa me dão porrada quase todo dia. Vou contar em francês, para ficar todo mundo com cara de imbecil e ninguém me contestar. Papai não admite que alguém encoste no filho, fora ele e mamãe. E quando me bate com cinto ou com as costas da mão, pode tirar sangue e até me quebrar um dente, mas em cabeça de criança não se toca. Saibam vocês que papai tem um chicote guardado ali na biblioteca, atrás da enciclopédia Larousse. Ele um dia me exibiu a peça, a correia trançada de couro de antílope, a flor-de-lis no cabo. É um chicote fora de uso, uma relíquia familiar que ele herdou do pai, meu avô Eulálio. Mas assim que voltar da Europa, se ouvir falar que deram na cabeça do filho, vai distribuir chibatadas às cegas por aí. Vai açoitá-los todos, não importa se homem ou mulher, vai soltar o azorrague em vocês como meu avô no velho Balbino. O Balbino nem era mais escravo, mas dizem que todo dia tirava a roupa e se abraçava num tronco de figueira, por necessidade de apanhar no lombo. E vovô batia de chapa, sem malícia na mão, batia mais pelo estalo que pelo suplício. Se quisesse lanhar, imitaria seu pai, que quando pegava negro fujão, açoitava com grande estilo. O golpe mal estalava, era um assobio no ar o que se ouvia, meu bisavô Eulálio apenas riscava a carne do malandro com a ponta da correia, mas o vergão ficava para sempre. Pegara a manha com seu pai, que veio de além-mar com a frota da corte portuguesa, e quando não estava prestando ouvidos à rainha louca, subia ao convés para dar lições a marujo indolente. Mas isso talvez meu trisavô Eulálio tenha inventado para fazer jus ao chicote que seu pai, o célebre general Assumpção, brandiu em campanha ao lado dos castelhanos contra a França de Robespierre. Para encurtar o conto, esse meu tetravô general era filho de dom Eulálio, próspero comerciante da cidade do Porto, que comprou o chicote em Florença com o intuito de fustigar jesuítas. De sorte que, pensando melhor, papai não gastaria seu chicote histórico com um bando de cascas-grossas. Papai vai simplesmente pô-los no olho da rua, e esse será o pior flagelo para vocês, que emprego igual não hão de encontrar em lugar nenhum. Não falo só pelo salário em dia, pela casa dos fundos onde vocês se embriagam e se masturbam, pelas provisões de boca que vocês devoram, ou pela folga quinzenal e a gratificação natalina. Falo também pelo trato pessoal que mamãe lhes concede, os pequenos furtos que ela releva, as roupas que lhes doa ainda em bom estado. Ela faz questão de que vão todos bem vestidos à missa, e a cozinheira, que era dada à macumba, fez exorcizar na igreja da Candelária. Foram todos vacinados, exame médico só minha babá não fez, achou uma pouca-vergonha. Mas a minha babá vou pedir para papai não mandar embora porque dá pena, a negona nunca vai gostar de outra criança como gosta de mim. Nem vai deixar outro menino fazer festinha naquelas suas tetas gordas como me deixa, dá tapa na mão mas deixa. De nada adiantou mamãe contratar a governanta alemã, quando achou que eu estava muito crescido para ter babá. A Fräulein era cheia de não-me-toques, queria me obrigar a falar alemão e praticar ginástica, mas não pôde comigo, teve um ataque de nervos e voltou para a Baviera. Além da babá, acho que vou pedir para meu pai poupar a lavadeira, que está sempre rindo e falando pelos cotovelos. Quando vejo aquela cesta de roupa recém-lavada, mijo em cima com vontade, e ela lava tudo de novo sem reclamar, lava cantando polca, rebolando no tanque. A lavadeira era uma mameluca que mamãe trouxe da roça, e hoje papai não confia a mais ninguém suas camisas de linho, que nos tempos do porto de Manaus, mandava passar e engomar na Europa. Meu pai é muito exigente nessas coisas, não à toa seus ternos, fraques e casacas são enviados a um príncipe russo, que fez nome em Petrópolis como tintureiro. E o barbeiro italiano vem em casa toda manhã para o escanhoar e aparar seu bigode, nunca vi meu pai com um fio de cabelo fora do lugar. Nunca uma nódoa, uma ruga na roupa, meu pai de manhã sai do quarto tão alinhado quanto entrou de noite, e quando menor eu acreditava que ele dormia em pé feito cavalo. Eu morria de medo de no futuro virar senador também, ter de dormir em pé e andar sempre igual a meu pai, ereto e grave. Por isso não esqueço o dia em que, de saída para o trabalho, ele se inclinou para beijar a minha mãe à mesa do almoço, e vi surgir a ponta do chicote na fenda traseira do seu paletó. Sensacional, era como ver papai de fantasia, com um rabo de couro pendente no paletó de tweed. Ri um bocado, perguntei ao meu pai onde ele ia brincar com aquele rabo. Que é isso, pirralho, ele falou, mas mamãe já se contorcia para espiar as costas dele. Então papai puxou o chicote pela nuca, bateu-o na palma da mão, pensou um pouco e disse, com esses anarquistas nunca se sabe. Naquela noite uma assessora ligou para avisar à minha mãe que não esperasse pelo senador. Sua Excelência ficaria retida até de manhã em assembleia permanente, ou em reunião de emergência no Ministério da Saúde, ou a portas fechadas com o presidente Epitácio, pois o governo se preparava para enfrentar uma epidemia de gripe pior que a espanhola. Nem bem bateu o telefone, mamãe ficou elétrica, começou a rodar pela casa, subiu e desceu a escada umas cinquenta vezes. Durante o jantar tocava o sininho por qualquer motivo, reclamava de tudo, teve um chilique ao ver duas moscas acasaladas na toalha de renda valenciana. E quando ela enfim parecia serenar, virei meu prato cheio de arroz, feijão, abóbora e bife de fígado, despejei tudo no tapete. Eu detestava fígado, e não me importei de mamãe me mandar para o quarto sem o jantar. Mal sabia ela que, nas minhas noites de castigo, a babá vinha me trazer goiabada com requeijão na cama. Quero a minha goiabada já, estou cheio de fome.

17

É inútil me entupir de remédios, bobagem continuar deitado nesta cama, sem minha mulher não sei dormir. Ela não disse aonde ia, e Matilde nunca foi de sair sozinha à noite. Não são horas de ir às compras, muito menos a um consultório médico, mesmo as antigas colegas ela só visita de dia para me receber na volta do trabalho. Aliás, ela já nem arruma tempo para as amigas depois que teve a criança. E daqui a pouco a criança vai acordar com fome, Matilde não há de demorar. Se bem que ultimamente ela não tem amamentado, mas logo, logo hei de ver as duas grudadas de novo, cheias de chamego e xodó. Acabo de me lembrar da Eulalinha vestida de jardineira igual à mãe, era feito uma Matilde anã. Matilde ria que se ria com a menina nos braços, e nem ouviu as buzinadas lá fora. Foi o dia em que Dubosc apareceu acompanhado de um casal que eu conhecera na recepção do embaixador, ele era médico da comunidade francesa. Convidei-os a entrar no chalé, pois tinham percorrido Copacabana de ponta a ponta sem encontrar cabines para o banho de mar. Matilde descia a escada com a criança no colo, e cumprimentou os hóspedes com um aceno de cabeça. Indicou-lhes o banheiro, ao saber que desejavam trocar de roupa, e me pediu que abrisse o carro para a Balbina acomodar as cestas da Eulalinha. Quando lhe comuniquei que não iríamos mais à fazenda, num instante ficou com os olhos úmidos, tinha se preparado tanto para sua primeira cavalgada desde o nascimento da filha. Mas Matilde é leve de espírito, e já a caminho da praia ria que se ria bamboleando a menina, que estreava um maiô igual ao seu. Ela compreendeu que não ficaria bem largar os franceses numa praia inóspita, além do mais teríamos muitos fins de semana para usufruir a fazenda. Na realidade não tivemos, mas eu não podia adivinhar que Dubosc e seus amigos se tornariam habitués do chalé. E afinal nos conformamos com aquela convivência, mesmo porque, apesar de nunca lavarem os pés na volta da praia, eles não nos trazem transtornos. Só dão trabalho à cozinheira, que tem de incrementar o almoço e abastecer nossa barraca com batidas de limão de hora em hora. Assim, Matilde brinca à vontade com a criança e a babá, enquanto os entretenho com exaltações à paisagem do Rio de Janeiro, aponto inscrições fenícias nas montanhas, cito aves hermafroditas que habitam as ilhas oceânicas. Também falo das invasões francesas, do sonho da França Antártica, até inventei um antepassado bretão, braço direito do almirante Villegaignon. Mas o médico sempre me corta a palavra para narrar suas atividades numas paragens que só ele conhece, nesses matos onde estrangeiros gostam de se enfiar. E toca a falar de paludismo, esquistossomose, mal de Chagas, hanseníase, e entre uma e outra endemia me pego a contemplar o forte de Copacabana, esperando que desponte um transatlântico por trás da pedra. Ao meio-dia Matilde leva a Eulalinha para casa, onde lhe dá de mamar e a embala com a cantiga do boitatá-pega-neném. Volta para sentar comigo, me faz deitar a cabeça no seu colo e diz, abre a boca e fecha os olhos. Enche minha boca de areia e sai em disparada a fim de que eu a persiga mar a fundo, depois me chama para catar tatuís ou jogar peteca. Imagino que os franceses esperassem de um homem na minha posição uma esposa mais circunspecta, com certos atributos intelectuais. Mas Matilde quase não participa das nossas conversações, e ainda costuma trazer a Eulalinha à mesa de almoço, para meu desconforto. Também é possível que eu a iniba com minhas risadas, nas raras vezes em que se mete a falar francês. Apresso-me a corrigir sua pronúncia, desculpo-me por suas faltas gramaticais, e com isso não é raro ela se reprimir no meio de uma frase. Sei que longe de mim ela se arranja, caso contrário não teria passado do primeiro ano na escola. Nem se entenderia com a mulher do médico, que começou a frequentar a praia também em dias de semana, e lhe fala de suas peripécias com o marido pela América Latina. Com isso Matilde pegou a mania de me contar histórias de camponeses mexicanos, ou de índios que andam pelados nas neves da Patagônia, enquanto anseio por ela na cama. Ainda de camisola, me obriga a ouvir umas lendas dos povos andinos, encantou-se com suas cerimônias de fertilidade. Penso que, se ela pode se interessar até por uma guerra civil na Nicarágua, presenciada pelo casal no ano passado, ficaria boquiaberta com os relatos de Dubosc, que lutou como voluntário na Grande Guerra Mundial. Ele um dia me contou que foi lugar-tenente do exército francês, chegou a mencionar um ferimento à bala em campos da Picardia, mas depois não desenvolveu mais o tema. Deve ter vergonha de alguma cicatriz, daí nunca tirar a camisa na praia, nunca o vi entrar no mar. Talvez com seus amigos e minha mulher seja eloquente, talvez até lhes mostre a medalha que diz ter ganhado na guerra, mas disso Matilde nunca me falou. Eu nem saberia que, além da mulher do médico, Dubosc também ia à minha casa em horas incertas, não fosse pela secretária da Companhia. Ao passar no escritório, após um dia de barganhas na alfândega para liberar uns tubos de canhão, ouvi-a gracejar que monsieur Dubosc já se adaptava ao estilo de vida carioca, tinha enforcado a sexta-feira para ir à praia. De noite Matilde não tocou no assunto, só fazia exultar com a filha, que começava a firmar o pescoço, me mostrou como ela já sustentava a cabecinha. Eu olhava a areia nas juntas do assoalho, e quando lhe perguntei por Dubosc, Matilde confirmou que ele trocara de roupa em casa, mas mal o havia visto. Não era a primeira vez que vinha, eventualmente até o médico aparecia, segundo ela os franceses sempre que se juntam, bebem e riem e tagarelam entre si, nem ficam para o almoço. Estranhei que Dubosc me omitisse essas visitas, mas estava explicado por que faltara a um compromisso recente no Ministério da Guerra. Certamente bebericava na praia, enquanto eu esperava pela audiência com o ministro, sendo atendido só à noitinha pelo seu ajudante-de-ordens. A bem da verdade, não precisei do francês para deixar marcada uma prova de artilharia com a exibição dos novos tubos do canhão Schneider, a que o ministro iria finalmente comparecer. Dubosc já estava descrente dessas promessas, mas de qualquer forma ficou de me encontrar na Marambaia, pois pegaria uma carona com o médico e sua mulher, que queriam conhecer a restinga. Eu deveria ter proposto que viéssemos os quatro no meu carro, porque a partir da praia da Gávea a estrada sobe por dentro de uma mata espessa e pode virar uma esparrela. Sinuosa, estreita, ainda por cima é mal sinalizada, mesmo quem já a percorreu outras vezes, como eu, hesita a cada bifurcação. Agora mesmo, depois de contornar a montanha e descer ao nível do mar, me vi em novo aclive que não recordava. Era bem possível que me tivesse desencaminhado, pois vinha um pouco desatento desde o início do trajeto. Eu já saíra de casa com Matilde na cabeça, vinha matutando que ela escondia alguma coisa de mim. Ela queria me fazer crer que, na minha ausência, Dubosc se servia do chalé puramente, como de alguma cabine pública em balneário francês. Queria me convencer de que os dois nunca se esbarrariam no entra-e-sai da casa, seus olhares nunca se cruzariam em horas de banhos de sol. Deitada ao lado dele na praia, me parece impossível que ela não tivesse curiosidade por um homem tão vivido, não quisesse saber por quantos continentes andara, quantas línguas falava, em quantas batalhas se batera, ou mesmo por que não tirava do corpo aquela camisa marrom. Não, Matilde não resistiria a puxar conversa, em breve já lhe estaria perguntando pela sua vida na França, se era casado, se sua mulher era jovem e bonita, quantos filhos tinham. Pode ser que Dubosc tenha uma filha da idade de Matilde, e para ele Matilde deve ser uma garota absolutamente sem mistérios. Será uma nativa não muito diferente das que conheceu na Polinésia, com a única vantagem de dançar o maxixe. No entanto duvido que, olhando Matilde de bruços ali na areia, nunca tenha entrevisto a perspectiva de um ou outro encontro escuso em seu quarto de hotel, depois de meses pagando por mulheres gastas em bordéis ordinários. E de repente me pareceu óbvio que os franceses me faziam de tolo, eles jamais cogitaram em se aventurar por conta própria na estrada esburacada e íngreme em que eu me perdia. Com aquele calor que eles chamam de senegalesco, já estariam refestelados à sombra da barraca de Matilde, com a filha e a babá. Mas Matilde não é muito de sombra, vira e mexe vai dar um mergulho, e tem sempre uma hora em que sai com um balde para catar as conchas da filha. Então é provável que, a fim de um passatempo, Dubosc a alcance e caminhe com ela à beira da água. Aqui e ali vão parar para colher uma concha, ela se agachando, ele a se vergar, esticando o braço comprido. Nada se dirão, porém Matilde talvez descubra algum significado no toque-toque das conchas, que ela deposita e ele atira no balde. Quando o balde se encher até a borda, será como se tudo entre eles estivesse dito, e seguirão em frente até o forte no fim da praia, onde Matilde vai querer refrescar o corpo. Posso até vê-la pousando o balde aos pés de Dubosc e entrando no mar daquele jeito dela, como se pulasse corda. Sairá das águas puxando os cabelos para trás, e Dubosc não vai perceber que uma marola vira o balde que ela deixara aos seus cuidados. Matilde verá as conchas que o refluxo espalhou na areia, pensará que ali pode estar desenhado o seu futuro, mas Dubosc as recolherá com sua manzorra. As conchas que ele joga no balde aos punhados, cheias de areia molhada, ela vai colher de volta e lavar uma a uma. Matilde vai olhar dentro de cada concha, vai espiar o interior daquelas casas abandonadas. E Dubosc olhará o céu, pela posição do sol calculará que àquela hora estarei chegando à Marambaia. Àquela hora eu não fazia ideia de onde estava, na minha estrada não batia sol, eu seguia imerso numa sombra verde. Já me convencera de que ia na direção errada, mas a estrada se estreitou a tal ponto que era impossível fazer meia-volta. Eu pisava fundo no acelerador, a gasolina se acabava, eu odiava a floresta por ter entrado nela. Quando se abriu uma clareira, avistei ao longe uma montanha igual ao Corcovado, e era o próprio, viam-se umas estruturas em seu topo, onde diziam que seria erguida uma estátua do Cristo. Havia alguns carros parados numa praça à minha direita, era o mirante da Vista Chinesa, mas em vez de fazer o retorno desliguei o motor e deixei o carro rodar ladeira abaixo rumo ao centro da cidade, onde encheria o tanque. E daí a pouco Matilde e Dubosc deverão regressar à barraca, ele carregando o balde e ela com uma expressão nunca vista em seu rosto.

Ao vê-la, Balbina apertará a Eulalinha contra o peito e correrá para casa, onde lhe dará o leite guardado na mamadeira. O médico e a mulher também vão se retirar apressurados, para propiciar ao novo casal uma tarde a sós. E Matilde sentará colada a Dubosc, porque a sombra da barraca é exígua, com o sol a pino. Ao meio-dia em ponto encostei o carro na calçada da praia, onde havia pouca gente, foi fácil distinguir nossa barraca. Era um círculo azul-celeste, à distância parecia o vestido rodado da mulher casada com quem meu pai teve seu último romance. Tentei correr para a barraca, mas eu corria como num sonho, quase sem sair do lugar, porque meus sapatos se enchiam de areia. Pesadamente me aproximava do círculo azul-celeste, e na sua sombra circular percebi sombras em movimento. Mais um pouco e enxerguei a Balbina, que me olhou assustada, e a Eulalinha, que pegou a chorar. Perguntei por Matilde, Balbina me apontou o chalé, e já do portão se ouvia música. Pensei que fosse um maxixe, mas era o tal do samba que ela deu para ouvir todo dia: jura, jura, jura de coração. A porta de casa estava escancarada, e na sala deparei com Matilde de maiô, dançando com o preto Balbino. Sim, o preto Balbino, eu não acreditei, mas era ele. Não reagiram ao me ver, os dois continuaram a dançar e a me olhar e a me sorrir como se nada fosse. Balbino vestia uma calça roxa muito justa, sua bunda maior que a da irmã, e ver minha mulher nos braços daquele crioulo foi para mim a pior infâmia. Ele dançava rebolando a bunda, ela ria que se ria, e o cantor com voz de maricas cantava: daí então dar-te eu irei o beijo puro da catedral do amor. A cena foi ficando insuportável, os dois não queriam parar com aquela dança nojenta, então dei um pontapé na vitrola de Matilde. O disco voou, partiu-se em cacos no chão, voaram também o prato e o braço da vitrola. Matilde me olhou atônita, Balbino correu com passos curtos, o telefone vinha tocando havia um tempo, e era Dubosc que me chamava da caserna da Marambaia. Perguntou o que eu ainda fazia em casa, se o ministro da Guerra estava a caminho da restinga, possivelmente em companhia do presidente Washington Luís. Foi meu recorde no percurso Copacabana-Marambaia, uma hora e meia de carreira sem percalços, apesar da chuva que me surpreendeu no meio do caminho. Lá chegando não encontrei mais ninguém, as autoridades tinham cancelado o compromisso devido ao mau tempo. Voltei de novo pelo centro da cidade, onde comprei uma radiovitrola RCA Victor de último tipo e dois álbuns com vinte e quatro discos de samba. Matilde ficou boba com o presente, voltou às boas comigo, ela era leve de espírito. Só dias mais tarde se fechou para o mundo, passou a esconder o corpo sob os vestidos largos que mamãe lhe dera havia tempo. E hoje saiu sem avisar aonde ia, Matilde nunca foi de sair à noite.

Por isso é natural que eu parta feito um louco atrás dela, mas isso só vai acontecer daqui a pouco. É esquisito ter lembranças de coisas que ainda não aconteceram, acabo de lembrar que Matilde vai sumir para sempre.

18

Se soubesse como gosto das suas cheganças, você chegaria correndo todo dia. É a única mulher que ainda me estima, se você me faltar morro de inanição. Sem você me enterrariam como indigente, meu passado se apagaria, ninguém registraria a minha saga. Não estou aqui de baba-ovo, só me faltava essa, bajular enfermeiras, meramente repito o que disse aos meus advogados. Acabo de instruí-los para que você não fique desamparada, se me acontecer alguma coisa. Os bens que me restam, não os vou deixar para uma filha que me internou à força, mesmo imobilizado eu estaria muito melhor em casa. Minhas dores eram crônicas, eu já previa onde e quanto iam doer. Mas aqui sinto dores que não são minhas, devo estar com uma infecção hospitalar. E se antes me carregavam para a tomografia à toa, agora que estou carecido não tenho quem me examine. Minhas contas não devem estar em dia, ouço rumores de que serei despachado para um hospital da rede pública. Nesse caso vou precisar dos seus préstimos, pois você sem dúvida conhece alguma casa de saúde mais séria, em Botafogo havia uma de carmelitas. Em instituições tradicionais meu nome abre portas, ao contrário do que ocorre nesta espelunca, onde nos extorquem dinheiro sem investigar sua origem. Porque meu tataraneto, você sabe, faz comércio de entorpecentes, acho que outro dia o vi com a namoradinha nessa televisão, os dois algemados num aeroporto, escondendo a cara. Se ele for parar no xadrez, aí mesmo é que a Maria Eulália vai me entregar às baratas. Isso porque ela não sabe que ainda tenho recursos, se soubesse já os teria torrado como torrou o casarão, o chalé, os imóveis todos, até o jazigo da família ela passou nos cobres. Do chalé eu não queria me arredar por dinheiro nenhum, mesmo cansado de saber que a ausência da minha mulher era definitiva. Mas noutro lugar talvez eu não ouvisse mais os suspiros dela, naquele endereço ela ainda vinha me ver em sonhos. E eu me fazia de ofendido com o valor das propostas, enxotava os corretores que vinham me aporrinhar, insuflados por minha filha. Maria Eulália não concebia que ocupássemos um terreno tão valioso em Copacabana, sem poder custear um automóvel, uma cozinheira, uma babá para o Eulalinho. Já na adolescência considerava meio jeca isso de casa com quintal, invejava as colegas que se mudavam para os edifícios modernos do bairro, com fachadas de mármore em art déco. E inclusive eu acho muito macabro, dizia ela, morar na casa onde mamãe morreu. Para mim era sempre um choque ouvi-la falar assim, embora eu mesmo tenha inventado que sua mãe morrera em nosso leito ao lhe dar a vida. Pareceu-me a princípio uma boa história, capaz de incutir brios na filha, ao mesmo tempo que proporcionava à mãe uma saída triunfal. Cedo ou tarde eu teria de desenganá-la, mas fui protelando o assunto, e Maria Eulália não só cresceu aferrada à minha mentira caridosa, como a aprimorava por sua conta. Imagino suas colegas de ginásio disfarçando o riso, enquanto ela contava do corre-corre de enfermeiras, do obstetra a se descabelar e da mãe em meio a convulsões, espumando e rogando a Deus que salvasse a criança. Hoje tenho para mim que a própria Maria Eulália nunca pôs muita fé no que falava, falar da mãe morta era como um esconjuro, era como bater três vezes na madeira. Penso que todo dia ela descia a escada da escola com as pernas bambas, apavorada com a possível aparição de uma mãe penitente. Ser recebida pela mãe aos prantos na frente de todo mundo, para ela, seria vexame pior do que se a viesse buscar algum parente pobre de alpargatas. E a saída da escola era uma festa para suas colegas do último ano, que desfilavam de salto alto no saguão diante de namorados e pretendentes. Mas destes o mais cobiçado, por ser homem-feito, amigo de marqueses e sócio de banqueiros, foi atraído inexplicavelmente pela menina que saía de cabeça baixa, esgueirando-se rente às paredes. Amerigo Palumba passou a trazer Maria Eulália em casa no seu conversível, citava poetas italianos, deu-lhe um livro chamado Cuore. Sem saber com que palavras retribuir, ela um dia lhe contou cheia de dedos a única história bonita que conhecia. E após narrar os instantes finais da eclâmpsia, o ricto, os olhos da mãe esgazeados, foi confortada com seu primeiro beijo na boca. Homem sensível, ela me disse, você precisa ver que homem sensível. Mesmo depois das núpcias, Palumba a cobria de carinhos sempre que ela recordava sua história, e há de ter sido num achego desses que o Eulalinho foi gerado. Mas apenas vendido o casarão, o carcamano escapuliu com o butim, e Maria Eulália se recusou a crer que fora descartada de maneira tão vil. Preferia passar por esposa desonesta, preferia pensar que ele tinha se exilado ao perder a confiança nela, que desde o começo o ludibriara com enredos fantasiosos. Tinha certeza de que havia chegado aos ouvidos dele o boato corrente em seus tempos de colegial, dando conta de que sua mãe não morrera de eclâmpsia coisa nenhuma, mas fugira de casa largando um marido frouxo e uma criança de colo. Ora, ora, minha filha, ora, ora, eu falava com um cigarro na boca, procurando fósforos. Ela tampouco duvidava que Amerigo tivesse topado à porta de casa com Matilde em pessoa, suspeitava a mãe de rondar seu palacete suspenso no Flamengo, como outrora a espreitaria à saída do colégio. Então tomei suas mãos, olhei-a nos olhos e lhe confessei que Matilde havia realmente abandonado o lar, quando ela nem bem engatinhava. Mas falecera pouco depois, em desastre de automóvel na antiga estrada Rio--Petrópolis, e já era tempo de deixarmos sua alma descansar em paz. No Dia de Finados levei Maria Eulália ao cemitério São João Batista, e depositamos cravos brancos no túmulo onde estavam gravados com letras de bronze os nomes de meu pai, de minha mãe e de Matilde Vidal d'Assumpção (1912 †1929). E não sei por que não a esclareci antes, era visível como daí para a frente minha filha se tornou uma mulher mais arejada. Teve um parto sereno, durante um ano aleitou o Eulalinho, lembrava Matilde em seu desvelo maternal. Mais tarde entrou em fase de rara extroversão, pendurava-se ao telefone, se maquiava, ia a vernissages, conheceu uma pintora com quem ficava até altas horas de conversa na sala de visitas. Manuseavam livros de arte, e do alto da escada, eu escutava ruídos de páginas viradas e uma ou outra palavra que a pintora segredava: expressionismo... Cézanne... Renascença... E posso ter ouvido mal, mas me pareceu captar também palavras sopradas por Maria Eulália: eclâmpsia... espasmos... salvasse a criança... No início eu até gostava que essa pintora jantasse conosco, pois era quando a Maria Eulália preparava algo além de ovos fritos com arroz. Mas com o tempo a moça foi tomando liberdades, dava palpites na decoração do chalé, a escrivaninha barroca que herdei de minha mãe, afirmou que era contrafação grosseira. Ante o retrato a óleo do meu avô com sua moldura rococó, teve um acesso de riso e disse, isto é o que os alemães chamam de arte kitsch. Começou a pernoitar lá em casa, e não sei se por causa disso o Eulalinho ficou irascível, era gritaria e choradeira dia e noite. Para abafar o Eulalinho, a pintora ligava o rádio de Matilde a todo o volume, eu nem sabia que aquele rádio funcionava ainda. Trouxe por fim seus pertences, suas tintas e telas, fez da sala de visitas seu ateliê, e a tudo eu me resignava porque não queria contrariar Maria Eulália. Minha filha estava até com outra cor, seus olhos mais espertos, dava gosto vê-la assim. Estaria perfeitamente feliz, não fosse pelo chalé, que segundo a pintora emanava maus fluidos. Então me rendi, vendi a residência dos meus sonhos. A construtora nos pagou com dois apartamentos contíguos de sala e três quartos, no oitavo andar de um edifício atrás do nosso terreno. Conservei a mobília antiga, além do retrato do vovô, e após alguma hesitação, levei também o armário com os vestidos da minha mulher, o criado-mudo com suas joias na gaveta. As duas decoraram seu apartamento com poltronas curvilíneas e mesas pé-de-palito, Maria Eulália comprou até um console com uma vitrola Telefunken, ela que nunca foi de música. Agora ouvia jazz enquanto a outra criava colagens sobre telas betuminosas, e o Eulalinho, asmático e alérgico, passava horas no meu apartamento. Passou mesmo uma boa temporada comigo, quando minha filha levou a pintora e uma marchand paulista para os Estados Unidos, onde haveria mercado para obras experimentais. Ao cabo de uns meses Maria Eulália voltou sozinha, e transferi para a área de serviço minhas montanhas de revistas ilustradas. Desembaracei assim um quarto só para ela, porque seu apartamento fora penhorado pela Caixa Econômica a fim de saldar dívidas colossais. Da pintora nada se falou, minha filha emudeceu por longo tempo, mas fui aprendendo a apreciar sua companhia silenciosa. Em silêncio eu a estudava, observava sua beleza antiquada, sua palidez, suas olheiras perenes, seu rosto comprido como o da minha mãe. E me perguntava se ela não teria se atormentado, desde pequena, com a suposição de que eu desejasse ver nela uma réplica de Matilde. Já mocinha, não me esqueço de seu ar estupefato quando a escorracei do meu quarto, ao surpreendê-la vestindo um tailleur alaranjado da mãe, que além do mais ficava troncho em seu corpo. E ultimamente, esses seus surtos de felicidade talvez fossem mais umas exibições desajeitadas, como uma coruja que saísse ao sol, sem entender direito o que se espera dela. Quem sabe Maria Eulália não se culpava até mesmo por ter nascido menina, julgando que eu contava com um herdeiro. Mas ainda que assim fosse, ela já me havia recompensado com o Eulalinho, que virou um filho para mim. Por ele até rememorei antigas berceuses, não me encabulava de cantarolar baixinho, quando no meio da noite o garoto se metia na minha cama, assustado com alguma coisa. Ensinei-o a ler, arranjei-lhe uma bolsa de estudos no meu antigo colégio de padres onde meu nome ainda abria portas. Apeguei-me ao garoto, que malgrado o Palumba no nome e as feições um tanto rústicas, pertencia com certeza à minha estirpe. Acompanhava-me aos sebos na cidade e me ajudava a desencavar fotografias do início do século, quando os Assumpção davam as cartas no país, conforme lhe ensinei. Foi ele quem encontrou uma foto de 1905 onde meu pai, jovem senador, aparecia de cartola numa comitiva do presidente Rodrigues Alves. Eu o levava de calças curtas ao Senado, fiz fotografá-lo na tribuna de onde seu bisavô tantas vezes discursou. O garoto não largava os livros de História, enchia a mãe de orgulho com as notas do boletim. Enfronhado em política desde cedo, chegou ao ginásio em condições de discutir, de igual para igual com seus professores, a situação periclitante do país. E um dia veio me comunicar que se tornara comunista. Que seja, falei comigo. Se vier o comunismo, Eulálio d'Assumpção Palumba chegará provavelmente a algum bureau político, a um conselho de ministros, se não ao comitê central do partido. Mas em vez do comunismo, veio a Revolução Militar de 1964, então tratei de lhe lembrar nossas antigas relações de família com as Forças Armadas, até lhe mostrei o chicote que pertenceu ao seu sexto avô português, o célebre general Assumpção. Mas na sua pouca idade, Eulálio era ainda vulnerável à influência de gente insensata, talvez mesmo de uns padres vermelhos. Ou então lhe subiu à cabeça o sangue quente de calabrês, só sei que ele cismou de ser um herói da resistência. Trouxe um mimeógrafo para casa, imprimia panfletos, em vão tentei lhe explicar que o heroísmo é uma vulgaridade. Uma noite carregou suas tralhas numas mochilas, e minha filha entrou em desespero, disse que ele tinha partido para a vida clandestina. Não demorou muito, sete agentes da polícia invadiram nosso apartamento, vasculharam tudo, sacolejaram Maria Eulália, perguntaram por um tal de Pablo, e eu lhes disse que havia um equívoco, o garoto era um Assumpção de boa cepa. Ainda lhes apontei o retrato do meu avô na moldura dourada, mas um brutamontes me deu um tapa na orelha e me mandou enfiar o avô no cu. Esse ignorante espalhou no chão meu acervo de fotos, e nem me adiantaria protestar quando confiscou o chicote florentino. Tempos depois nos telefonaram para buscarmos uma criança no hospital do Exército, era o filho do Eulálio e de uma sua comparsa que pariu na prisão. Esse Eulalinho criei como se fosse um filho, ensinei-o a ler, matriculei-o no colégio de padres onde meu nome abria portas, fiz fotografá-lo de calças curtas no Senado. Desde o princípio se mostrou um aluno sagaz, interessado em História do Brasil, discutia com seus professores de igual para igual, e um dia virou comunista. Diz minha filha que ele foi morto na cadeia, mas disso não se tem certeza, só sei que me telefonaram para buscar seu filho no hospital do Exército. Esse Eulalinho criei como se fosse um filho, ensinei-lhe a abrir as portas, fiz fotografá-lo de calças curtas com padres vermelhos, mas o sabor do remédio estava estranho. Não estou gostando da sua cara, não reconheço esse seu sorriso cáustico. Sinto uma queimação no esôfago, você me fez beber a soda e agora estou à morte. Mexa-se, não fique aí me vendo agonizar, pelo menos me dê minha morfina.

19

Você me derrubou, mas eu me levantei, você me machucou, mas eu lhe perdoei, gosto de ouvir a lavadeira lá embaixo cantando isso aí. Quem hoje veio me ver foi o papai, que nunca aparece no meu quarto. Passou para me recomendar que ficasse pregado na cama, senão a caxumba desce para os ovos, o saco fica enorme e o pinto vira pelo avesso. Por isso não viro a cabeça para olhar você, mas pelo rabo do olho a vejo de chambre e chinelos, dando uns cascudos no ar. É o termômetro que você sacode antes de colocar no meu sovaco, para então sentar na minha cama e pousar as costas da mão no meu pescoço e na minha testa. Eu por mim ficaria doente mais amiúde, teria caxumba outras vezes, e catapora e sarampo e apendicite. E meu quarto teria constantemente esta luz morna de abajur, com janelas fechadas mesmo de dia.

E quando você me cantasse uma berceuse, eu poderia enxergar uma lágrima oscilando em cada olho seu, o mesmo par de lágrimas de quando você toca piano, e mais não digo para não a aborrecer com sentimentalismos. Fora da música, você tem sempre essa nobreza de represar os sentimentos, que certamente lhe doem, como deve doer leite empedrado. Você também já disse que não gosta de gente que beija o rosto de quem mal conhece, dá tapinhas nas costas, pega nos outros enquanto fala. E percebi na festa do papai que você sorria só por polidez para aquela mulher metida a amiga sua, a falar no seu ouvido e gesticular e rir além da conta. Você nem deve se lembrar, era uma moça sardenta de cabelos castanhos, veio abordá-la na hora em que os garçons serviam os petits-fours. Depois se despediu com dois beijos no seu rosto e se dirigiu a um sujeito bonito, parecido com o Rodolfo Valentino, que estava numa poltrona bebendo uísque. Mas quando o sujeito se levantou, me surpreendeu sua baixa estatura, lembrava essas caricaturas da revista Fon-Fon, o tronco desproporcional às pernas curtas. Saíram os dois emparelhados, e então atinei que era o mesmo casal da sala de música, eu os tinha visto pouco antes com meu pai. Só que de repente alguém abriu a persiana, e com o sol na cara não vejo mais nada, sumiu minha mãe que estava aqui agora mesmo. Se alguém a encontrar, por favor lhe peça que venha de novo falar comigo, é importante. Repito: se alguém estiver me ouvindo, vá por mim com urgência ao quarto da minha mãe, porque estou com caxumba e não posso me mexer. E se ela estiver na cadeira de rodas, com cara de doida e falando francês, não faça caso, abra sem susto a gaveta central da escrivaninha de jacarandá. Procure direito, que lá no fundo vai achar uma foto do tamanho de um papel-ofício, datada no verso de 1920. Mas não me deixe de trazer também a lupa, que está numa gaveta menor, porque necessito tirar uma dúvida. Posso quase jurar que aquele Rodolfo Valentino aparece na escadaria do palácio Guanabara, por ocasião de uma visita de parlamentares ao rei Alberto da Bélgica, ali hospedado. A foto é das prediletas da mamãe, traz meu pai ao lado da rainha Elizabeth, um degrau abaixo do rei. A cabeça do pai de Matilde também aparece um pouco atrás, e encarapitado no último degrau, se não me engano, está o baixinho com brilhantina nos cabelos. Eu precisava muito dessa foto para mostrar o tipo ao papai, se ele passasse outra vez por aqui. Numa conversa de homem para homem, eu poderia convencê-lo a não se meter com a mulher do Rodolfo Valentino. Eu tentaria dissuadi-lo de comprar aquele vestido azul-celeste, mas é claro que papai nem me deixaria terminar a frase. Não chacoalha, Lilico, ele diria, vai lamber sabão, e afinal morreria como estava destinado a morrer, na garçonnière com seis tiros no peito. E ainda que me escutasse, talvez seguisse igualmente para a emboscada. Porque talvez tivesse a intuição de que em breve os tempos seriam outros, e meu pai jamais se prestaria a permanecer num tempo que não era o seu. Sua fortuna no estrangeiro estava para evaporar, e não consigo imaginá-lo sem suas viagens anuais à Europa, seu camarote, seus hotéis, restaurantes e mulheres de primeira classe. Na política, a civilidade daria lugar ao cabotinismo e ao espalhafato, e tampouco vejo meu pai pedindo votos em praça pública, subindo em palanques, apertando a mão de populares, sorrindo para fotografias com a roupa suja de gordura. Nem mesmo a Le Creusot gozava mais o prestígio dos primeiros anos, quando aqui se instaurou a missão militar francesa. Agora sofríamos frequentes ataques da imprensa, e ainda havia que aturar Dubosc, bufando e falando merde alors, a cada linha que eu lhe traduzia. Até O Paiz nos achincalhava em seus editoriais, charges ridicularizavam nossas peças de artilharia, apresentadas como rebotalho da Grande Guerra. E perdíamos dia a dia mais terreno para a concorrência, que não vacilava em seduzir certos jornalistas com quem ainda ontem trocávamos favores. Isso acabava por contaminar o clima do escritório, a secretária me soprou que Dubosc chegou a lhe requisitar uma relação dos meus interlocutores no telefone. Temia com certeza que eu virasse a casaca, quem sabe até contrabandeando informações confidenciais. Dubosc não me conhecia, tinha o direito de duvidar da minha integridade. E vice-versa, não sei sequer quem foi seu pai, ignoro a progênie dos Dubosc. Mas enquanto a Companhia era para mim quase um legado paterno, ele ali só se prendia por vínculos mercantis, não teria escrúpulo em ceder a ofertas mais vantajosas. Com efeito, se antes ele ia à praia esporadicamente, ou à caça de capivaras em um ou outro dia útil, agora dava escapulidas misteriosas todo santo dia, só podia estar de conchavo com nossos rivais. E numa sexta-feira em que largou o serviço antes do meio-dia, desejando-nos um bom weekend, perdi a paciência, folguei a secretária e dei também por encerrado meu expediente. Depois me arrependi do rompante, mesmo porque não tinha o que fazer da tarde livre. Pedi um café numa confeitaria, acendi um charuto para espiar o movimento, passaram até duas ex-colegas de Matilde que eu conhecia de vista. Achei que também me viram, fiz menção de me levantar, mas elas apertaram o passo e se enfiaram numa galeria. Flanei mais um pouco pela avenida Central antes de pegar meu carro, e ainda parei numa florista a caminho de casa. Não sei se Matilde desceria à sala, caso eu tivesse convidado suas amigas para uma visita. Mas acho difícil, ela já não respondia quando eu batia à sua porta. Era capaz até de ter destratado a mulher do médico, que nunca mais apareceu para um banho de mar. Matilde vivia sempre mais reclusa naquele quarto lateral do chalé, na verdade um quarto de despejo com bugigangas várias e um velho divã, onde talvez se estendesse catatônica horas a fio. Não tinha horário para as refeições, esquentava ela mesma seu prato e comia na cozinha sem falar com ninguém. No início da crise ainda olhava a filha, agora nem isso, creio que se magoou ao pilhar a Eulalinha agarrada no peito da ama--de-leite. Se o leite estanca assim de supetão, dizia a ama, é porque a mãe perdeu um ente querido, ou padeceu grande decepção amorosa. Olhava para o alto quando se referia ao ente querido, e decepção amorosa ela falava olhando para mim, como se eu fosse um mau marido. Logo eu, que sentia falta de Matilde tanto quanto a minha filha, e nem ao menos tinha outros peitos para me consolar. Eu fazia de tudo para trazê-la de volta à vida, agora mesmo comprei uma braçada de antúrios a fim de alegrar a sala de visitas. Matilde adorava as folhas do antúrio, tão rubras, lembravam-lhe corações de matéria plástica. Rodei a casa atrás de um vaso para as flores, não tinha quem me ajudasse. No fogão havia panelas frias de arroz e feijão, a cozinheira na certa estava de namorico no armazém, e a babá de saracoteio com a Eulalinha na praça. Encontrei o vaso entre teias de aranha na despensa, os móveis estavam empoeirados, a casa inteira carecia do olho da dona. E quando eu ajeitava os antúrios na sala, tive a surpresa de ouvir Matilde chorar baixinho, desafogar de vez em quando só lhe poderia fazer bem. Eu já subia para lhe oferecer assistência, mas no meio da escada me detive a reparar melhor nos seus gemidos. Aqui não me darei ao desfrute de divulgar intimidades de Matilde, mas digo que cada mulher tem uma voz secreta, com melodia característica, só sabida de quem a leva para a cama. Foi a voz que ali escutei, ou quis escutar, havia semanas que não me deitava com Matilde. E me deliciei de imaginar que naquele momento ela se acariciava pensando em mim, como eu a namorava em pensamento toda noite no meu quarto. Cheguei ao topo da escada pisando leve, de jeito nenhum eu interromperia Matilde, queria espreitá-la até o fim. Mas eis que, do nada, me subiu à cabeça uma quentura violenta, senti minha pele inteira se repuxar. Num instante fui tomado pela ideia de que havia um homem com Matilde, eu já ouvia ofegos de homem mesclados aos gemidos dela. Meus olhos como que se encheram de sangue, e os tacos do assoalho imitavam pegadas de um homem grande, uns pés sujos de areia no caminho de Matilde. Eu via pegadas por todo o piso, antigas e recentes, direitas e esquerdas, indo e vindo, também de lado, era um quebra-cabeça de pegadas justapostas. Pensei que eu fosse investir aos gritos contra o casal, pôr para correr o canalha e esbofetear minha mulher até escangalhar seu rosto. Mas não, logo me vi seguindo a furta-passo os lamentos langorosos de Matilde, com maior sofreguidão que antes eu necessitava agora espioná-la. Passei pelos quartos vazios, ouvia soluços e água escorrendo no banheiro, e surpreender Matilde a me trair no nosso leito, não sei por quê, me diminuiria menos que vê-la se entregar de pé a um homem molhado. Cheguei sem fôlego à porta entreaberta do banheiro, e o que vi foi Matilde debruçada na pia, como se vomitasse. Por um segundo me ocorreu que pudesse estar grávida, depois vi seu ombro direito nu, ela arriara uma banda do vestido. Corri para a abraçar, envergonhado do meu mau juízo, mas ela aprumou o vestido bruscamente e se esquivou de mim, deixando a torneira aberta. E vi respingos de leite nas bordas da pia, o ar cheirava a leite, vazava leite no vestido da sua mãe, nunca lhe contei esse episódio? Então não o leve em conta, nem tudo o que digo se escreve, você sabe que sou dado a devaneios. De bom grado tornarei a lhe falar somente dos bons momentos que vivi com Matilde, e por favor me corrija se eu me equivocar aqui ou ali. Na velhice a gente dá para repetir casos antigos, porém jamais com a mesma precisão, porque cada lembrança já é um arremedo de lembrança anterior. A própria fisionomia de Matilde, um dia percebi que eu começava a esquecê-la, e era como se ela me largasse novamente. Era uma agonia, mais eu a puxava pela memória, mais sua imagem se desfiava. Restavam dela umas cores, um ou outro lampejo, uma lembrança fluida, meu pensamento em Matilde tinha formas vagas, era pensar num país e não numa cidade. Era pensar no tom da sua pele, tentar aplicá-lo em outras mulheres, mas com o tempo também fui esquecendo meus desejos, cansei das revistas ilustradas, perdi a noção de um corpo de mulher. Já não recebia sua mãe em sonhos, já não rolava durante o sono para acordar no lado direito da cama, onde o colchão permaneceu côncavo dela. E quando nos mudamos para o subúrbio, pude dividir com você a minha cama de casal sem correr o risco de chamar por Matilde, Matilde, Matilde, ou pronunciar palavras inconvenientes no meio da noite. Mesmo vivendo em habitação de um só compartimento, num endereço de gente desclassificada, na rua mais barulhenta de uma cidade-dormitório, mesmo vivendo nas condições de um hindu sem casta, em momento algum perdi a linha. Usava pijamas sedosos com o monograma do meu pai, e não dispensava um roupão de veludo para caminhar até o alpendre no quintal, onde fazia minha higiene num banheiro com paredes chapiscadas e chão de cimento. Eram trabalhosos os meus banhos, pois à guisa de chuveiro havia um cano caprichoso, que ora pingava água a conta-gotas ora a soltava em jatos sobre a latrina. E foi nessas circunstâncias que tive uma tardia e talvez derradeira visão de Matilde, à maneira de uma visita da saúde. Debaixo de um filete de água, eu me transportava ao nosso banheiro do chalé, sonhava com seu chuveiro copioso. Diante de uma parede sem emboço, eu sonhava com cavalos-marinhos nos azulejos, com as louças inglesas do nosso antigo banheiro, quando sem esforço algum me aconteceu de relembrar Matilde da cabeça aos pés. Ela me figurou com seu corpo de dezessete anos sob o jorro de água quente, puxava os cabelos para trás e apertava os olhos, para não entrar sabão.

Recordei-a envolta no vapor, já me escancarando os olhos negros, recordei seu sorriso preso nos lábios, seu jeito de encolher os ombros e me chamar com o dedo indicador, e cheguei a crer que ela me chamava para o outro mundo. Recordei seu movimento de corpo, ao se encostar nos cavalos-marinhos da parede, o sutil balanceio dos seus quadris, e de repente me senti dotado de uma força que fazia anos já não tinha. Olhei-me, admirado, havia em meu corpo de velho um desejo por Matilde semelhante ao do nosso primeiro encontro, acho que nunca lhe contei como a conheci na missa do papai. Você ali a meu lado deve ter percebido meu desassossego, não duvido mesmo que tenha batido os olhos nas minhas entrepernas, e imediatamente desviado a vista, incrédula. E embora rodeada por meio mundo, pois até o vice-presidente da República veio lhe dar os pêsames, você por força prestou atenção na sua futura nora. Era a mais moreninha da fila, e vestida de congregada mariana ela era deveras um acinte, estava quase obscena, fechada em paramentos. Porque com seus olhos apenas, aqueles olhos meio árabes, Matilde dava a entender seus menores movimentos de corpo, o sutil balanceio dos seus quadris, e tive de correr para casa, eu precisava de um banho fresco. E debaixo do banho observei meu corpo fremente, só que neste momento minha cabeça fraquejou, não sei mais de que banho estou falando. São tantas as minhas lembranças, e lembranças de lembranças de lembranças, que já não sei em qual camada da memória eu estava agora. Nem sei se eu era muito moço ou muito velho, só sei que me olhava quase com medo, sem compreender a intensidade daquele meu desejo. E tive a sensação absurda de que, na minha mão, estava o pau duro do meu pai, mas é triste ser abandonado assim falando com o teto, ardendo de caxumba. Você se esqueceu do meu beijo, não tirou minha febre, partiu sem cantar minha berceuse.

20

Vocês vão cair para trás, até porque ninguém me dá a idade que tenho, mas aquela velhota não é minha mãe, é a minha filha. Veio se certificar que estou bem de saúde, para providenciar minha remoção sem mais tardança. Quando amanhã minha cama aparecer vazia, muitos aqui farão o sinal-da-cruz, pensando no pior. Mas não se aflijam por mim, pois estarei chupando uvas em Copacabana, numa sala com vista para a praia. Provavelmente em cadeira de rodas, mas dessas motorizadas, para que eu possa descer a passeio por minha conta quando bem entender. Resisti um bocado à ideia de morar em edifício de apartamentos, me parecia promíscuo. Mas afinal me rendi às suas comodidades, e não hesitem em me procurar dia desses, vou lhes deixar o meu cartão. O edifício tem lá sua classe, com o hall de entrada metido a art déco, os vizinhos são discretos, os porteiros limpinhos. Trata-se enfim de um ambiente seleto, e era natural que me causasse espécie entrar comigo no elevador um grandalhão com cara de nortista, nariz chato, pele grossa. Indiquei-lhe o elevador de serviço, mas ele me deu as costas e apertou o botão do meu oitavo andar. Maria Eulália lá em cima riu à beça do incidente, segundo ela eu era a única pessoa do Rio de Janeiro a desconhecer o Xerxes. Até meu neto tinha uma figurinha do veterano center-half do Fluminense Football Club, e com isso acabo de lembrar que já não moro em Copacabana há muito tempo. Para proporcionar maior privacidade à minha filha, trocamos nosso apartamento por dois menores na Tijuca, com janelas voltadas para o estádio do Maracanã. Mais perto do serviço, disse o Xerxes, que na verdade andava afastado do futebol devido a uma lesão no joelho. Pareceu-me de fato um tanto acima do peso, tinha o rosto inchado, mas se dizia ansioso por voltar aos treinamentos. Reputava-se um injustiçado, acreditava que em 1950 o Brasil venceria a Copa do Mundo, se o técnico da seleção não o tivesse preterido em benefício de um perna-de-pau. Em 1954 teve problemas disciplinares, mas para a Copa de 58 estava certo de ser convocado, prometeu ao meu neto trazer para casa um troféu da Suécia. Enquanto isso saía com minha filha toda noite, ela de batom vermelho e ele sempre nos trinques, cada semana Maria

Eulália lhe comprava uma gravata, uns mocassins, um terno de gabardine. E para mim era uma novidade tomar a fresca nas ruas da Zona Norte, às vezes eu esticava as caminhadas até o centro da cidade. Também passeava na Quinta da Boa Vista, só me dava dó a decadência do antigo palácio Imperial, que meu avô cansou de frequentar nos tempos de dom Pedro II. À noitinha eu regressava por caminhos mal-iluminados, onde não corria perigo de topar com algum conhecido. Em Copacabana já me torciam o nariz, por dar guarida a um jogador de futebol meio caboclo, ademais eu recebia seguidas queixas do condomínio contra gritarias noturnas no meu apartamento. Porque o Xerxes, quando bebia, costumava bater na minha filha, mas em bairros mais populares cenas do gênero são corriqueiras, não escandalizam ninguém. Nessas noites turbulentas o Eulálio vinha ter comigo, e eu havia mesmo separado o outro quarto para ele, que estava grande para dormir na minha cama. Faltou-me prever que Maria Eulália também acabaria por se juntar a nós, depois que o Xerxes por pouco não lhe abriu a garganta com uma navalha. Aquele cangaceiro continuou morando porta a porta conosco, acolhia criaturas no apartamento da Maria Eulália para noitadas de aguardente, boleros e pancadaria. E quando viu chegar o oficial de justiça com a ordem de despejo, reagiu à bala. Só consentiu em entregar as chaves mediante recebimento de metade do valor do imóvel, que a minha filha vendeu para cobrir um rombo na conta bancária. Tais acontecimentos, por mais dolorosos, serviram para reaproximar nossa família, era visível o conforto do Eulálio com a mãe ali quietinha numa cama ao lado da sua. E ela naturalmente se afeiçoava mais e mais ao garoto, só de sentir sua presença noite trás noite absorto em leituras, à luz da lanterna na cabeceira. Mas não o interrompia com lengalengas maternais, não o importunava com beijos e afagos, nem com olhares apreensivos, tenho a impressão de que Maria Eulália amava o filho com o olfato. E perdeu o senso quando ele sumiu no mundo, o Eulálio mudou de nome, dizem que era um destemido, partiu determinado a enfrentar as Forças Armadas. Maria Eulália nunca mais dormiu direito, saía toda manhã atrás de más notícias e só voltava tarde da noite com boatos pavorosos. Numa alta madrugada ouvi barulheira à nossa porta, e eu já ia chamar a polícia, crente que era o Xerxes com saudade de bater na minha filha. Mas era a polícia, vinte agentes arrombaram o apartamento, bagunçaram tudo, sacolejaram Maria Eulália e me falaram grosserias. E a coitada, que já vivia em sobressalto, se petrificou na minha frente no dia em que o telefone tocou para mim, ninguém nunca me telefonava. Um tal de coronel Althier perguntou se eu era eu mesmo, o Assumpção, me tratava com certa camaradagem. Coronel Adieu?, perguntei, a ligação estava péssima, cheia de interferências. Althier!, coronel Althier!, disse o homem, ele queria confirmar meu parentesco com um indivíduo de nome Eulálio d'Assumpção Palumba. É meu neto, falei, é o meu único neto, e o coronel me deu os parabéns, tinha boas-novas para mim. Boas-novas, repeti, e Maria Eulália pegou a tremer de corpo inteiro, ressuscitava nela a esperança de ter o seu Eulálio de volta. Entretanto o coronel me cumprimentava pelo filho do Eulálio, recém-nascido no hospital do Exército, cinquenta centímetros, três quilos e meio. O bebê deveria ser confiado a seus parentes mais próximos, uma vez que a mãe, conhecida apenas por nomes fictícios, lamentavelmente falecera no trabalho de parto. Para mim, o advento da criança era sem dúvida notícia alvissareira, se bem que um bisneto sempre vai nos parecer um ser familiar e ao mesmo tempo tão estranho, como o rio da nossa cidade léguas adiante. Mas Maria Eulália era a avó, e todos sabemos como são as avós, são que nem mães abobalhadas. Pois Maria Eulália, não. Talvez por ter recebido a notícia em contrapé, tomou-a por uma desfaçatez, aquela criança para ela era um engodo. Na cabeça dela, entregavam-lhe um menino a modo de escambo, como um cala-boca para reparar o desaparecimento do outro. Maria Eulália nem queria me acompanhar ao hospital, por ela o bebê teria ficado por lá. Mas eu a fiz ver que poderíamos chegar ao Eulálio, por intermédio daquele coronel gentil, até então as autoridades com certeza não tinham ideia de que mexiam com uma família tão importante. Confirmadas as suspeitas de que o rapaz estava detido em algum porão, sofrendo eventuais constrangimentos, era evidente que seria prontamente libertado. Também seríamos comunicados de algum acidente que lhe houvesse ocorrido, como mais se temia, mas assim à queima-roupa o coronel não dispunha de informações precisas. Ficou de nos telefonar, sem convencer a Maria Eulália, que passou o berço do neto para o meu quarto e nem se dignava alimentá-lo. Cabia a mim bater o leite em pó da sua mamadeira, que lhe provocava cólicas, disenteria, o bebê desidratava, gastei um dinheirão com pediatra. Mas nada comovia a avó, nem a parecença do menino com o pai, nem mesmo o idêntico bruto nariz dos Palumba, que para ela era mais uma impostura. Pensei que lhe fazia um agrado, ao registrar a criança como Eulálio d'Assumpção Palumba Júnior, em homenagem ao pai. No entanto ela só se referia ao neto como esse aí: esse aí está chato, esse aí está fedendo, minha filha perdeu muito de sua finesse depois que se misturou com uma gente de maus bofes. Um dia chegou em casa com uma dona de sandálias, cabelos brancos desgrenhados. As duas foram entrando no meu quarto sem pedir licença, abriram o armário, tiraram dos cabides os vestidos de Matilde, um a um. Do caralho, dizia a velha, do caralho, e pela voz reconheci a amiga da minha filha, uma pintora que agora andava metida com teatro. Tencionava montar uma peça libertária, porém ambientada nos anos 20, a fim de burlar a censura então vigente, e como figurino julgou que aqueles vestidos vinham a calhar. Aí, era um pouco demais. Mandei a pintora às favas, com Maria Eulália fui irredutível, expor os trajes da minha mulher em palco de teatro seria uma afronta à sua memória. Maria Eulália batia pé, sustentava que o espólio da mãe era tão dela quanto meu. E inclusive atrai desgraças, disse ela, guardar em casa os vestidos de uma esquizofrênica. É o tal negócio, ouve-se o galo cantar sem saber onde, alguém foi contar a Maria Eulália que a mãe terminara seus dias num manicômio. Então tomei suas mãos, olhei-a nos olhos e lhe revelei que, ao nos abandonar, Matilde rumou em segredo para um sanatório no interior do estado, onde logo viria a morrer de tuberculose. Internara-se sob identidade falsa para evitar que ela, Maria Eulália, fosse recolhida pela inspetoria de saúde a um preventório, onde na época isolavam os filhos de tísicos. A propósito, poderíamos visitar seu túmulo no cemitério São João Batista, mas Maria Eulália estava de saída para seu primeiro ensaio, tinha cismado de virar atriz. E a pintora já subia para ajudá-la a carregar os vestidos de Matilde, levando de passagem o retrato do meu avô, por considerar que daria um toque burlesco à cenografia. Maria Eulália passou a dedicar dias inteiros aos ensaios de palco, de noite se trancava com a pintora no quarto para repassar os textos. Se tinha de fato alguma veia artística, não sei dizer, e é óbvio que nunca jamais se ouviu falar de um Assumpção no mundo do espetáculo. Mas, enfim, eu me alegrava por ela, era hora de a minha filha abrir um pouco seu luto, não podia seguir sem uma ocupação ou um objetivo na vida aos quarenta anos passados. E impostava a voz, e fazia gargarejos, e ficou para lá de ansiosa quando a pintora decidiu estrear o espetáculo no Chile, onde o público era mais politizado. Realizava-se em Santiago um festival de teatro de protesto, e Maria Eulália empenhou as economias que lhe restavam para financiar as passagens da trupe. Mas na última hora foi substituída por uma atriz profissional, e essa foi sua sorte, porque em seguida estourou uma encrenca dos diabos naquele país. E ao saber da prisão de políticos, proletários, estudantes e até artistas de teatro, temi pelos vestidos de Matilde, pressenti que nunca mais os veria. Desgraças, resmungava Maria Eulália, os vestidos da louca atraem desgraças. Minha filha pegou o cacoete de falar sozinha desde os dias em que decorava seus monólogos teatrais. E o neto pensava sempre que era com ele, e lhe balbuciava de volta, e a seguia por toda parte. O pequeno fazia de tudo para chamar sua atenção, mas ela não se impressionou nem quando ele começou a pretejar. Da noite para o dia os cabelos dele se encresparam, o nariz de batata engrossou mais ainda, e quanto mais o menino escurecia, mais me perturbava a sensação de conhecer sua cara de algum lugar. Era curioso porque, tirante o preto Balbino e um ou outro criado, eu não tinha muita gente da raça nas minhas relações, nem nunca avistei a mãe do menino, a dos nomes fictícios. E a cor do menino provinha dela, logicamente, eu não poderia esperar de um neto comunista que se juntasse com moça de pedigree. Mas ora, ora, papai, disse Maria Eulália, está na cara que esse aí puxou à minha mãe mulata. Não sei quem abastecia minha filha com tantas maledicências, Matilde tinha a pele quase castanha, mas nunca foi mulata. Teria quando muito uma ascendência mourisca, por via de seus ancestrais ibéricos, talvez algum longínquo sangue indígena. De Matilde o menino só herdara o gosto por música barata, era escutar o rádio do vizinho e ele se embalançava todo. Criança esperta, consegui-lhe uma bolsa de estudos no meu antigo colégio de padres. Porém no dia em que o levei para a matrícula, deu-se um zunzum na secretaria e um padreco meio bicha veio se desculpar comigo, não havia mais vaga para o Eulalinho. Inscrevi-o numa escola pública, onde ele iria conviver com gente de outro estrato social, mas fiz questão de que não perdesse de vista suas raízes. Mostrava-lhe as fotos na escrivaninha, seu trisavô com os reis da Bélgica, seu tetravô andando de costas em Londres, mas ele não queria saber de velharias. Acompanhava-me aos sebos por benevolência, mas ficava parado do lado de fora com as mãos nos bolsos. Nem buço o moleque tinha, quando notei que se dedicava a espiar mulheres na avenida. E me arrepiei porque, de relance, num mero meneio de cabeça ele encarnou meu pai. Olhava as mulheres tal e qual meu pai, não de modo dissimulado, nem lascivo, muito menos suplicante, mas com solicitude, como quem atendesse a um chamado. Por isso as mulheres lhe eram gratas, e a seu tempo começaram a procurá-lo em casa, foi de tanto dormir no divã da sala que Maria Eulália ficou corcunda. Ao som de sambas, rumbas, rock and roll, o Eulálio se entretinha no quarto com empregadinhas do bairro, caixas de supermercado, namorou até uma oriental, garçonete num sushi bar. Trazia também colegiais, um dia o vi entrar com uma menina muito branquinha, cheirosa, um andar gracioso. Dessa vez colei o ouvido num copo contra a minha parede, curioso dos gemidos dela, queria saber que melodia tinham. Por baixo de uma batucada distingui sua cantilena triste, aguda, que subitamente deu lugar a gritos guturais, fode eu, negão!, enraba eu, negão!, e não sou homem que se melindre à toa. Mas assim que cruzei com ela, me vi compelido a lhe dizer, o negão aí é descendente de dom Eulálio Penalva d'Assumpção, conselheiro do marquês de Pombal. Depois me censurei por minha intromissão, mesmo porque, se eu fosse julgar mulheres pelo que falam na cama, Matilde também não era nenhuma santa. E nem todo dia me apareciam em casa moças à altura do meu bisneto. A menina morava na praia de Copacabana com a avó, que não tardou a manifestar desejo de me receber para um chá. E mal pude crer quando li no cartão de visita, sob o nome de Anna R. S. V. P. de Albuquerque, o velho endereço do meu chalé. Da janela do meu prédio vizinho, eu assistira à demolição do chalé, vi cheio de pudor meu quarto com Matilde destelhado, vi ruir nossa laje, nossas paredes se desmanchando em pó e as fundações quebradas à picareta. No lugar dele subiu um edifício modernista, e tomei por uma delicadeza do arquiteto a construção suspensa sobre pilotis, para não soterrar de vez minhas recordações. No tempo em que morei ali ao lado, eu sempre entrava para passear no vão livre do edifício, acenava para os zeladores, às vezes lhes recomendava que varressem as folhas ou escovassem as colunas. Mas agora havia grades na calçada, interfone, e um porteiro petulante me perguntou quem desejava a madame Albuquerque. Quando passei por ele, o cabeça-chata me olhou de alto a baixo, talvez nunca tivesse visto um senhor de colete e paletó de tweed. E ao defrontar com a madame, só mesmo por um prodígio pude reconhecer, através de uma cachoeira de rugas, as feições de Anna Regina, irmã caçula de Matilde. Perguntei-lhe pela saúde dos pais, falecidos havia mais de trinta anos, e me abstive de mencionar suas irmãs mais velhas. Apenas lhe observei que sua poltrona, na diagonal da janela, estava na mesmíssima posição da cadeira em que Matilde se balançava com a filha, só que onze andares acima. Mas a minha cunhada não estava para confabulações, e enquanto a copeira servia o chá, me ordenou em francês que afastasse o Eulálio da sua neta. Perguntou se eu preferia açúcar ou adoçante, e disse que seria supérfluo me explicar por quê. Chegando em casa, alertei o Eulálio sobre os riscos de uma união consanguínea, ainda que a menina fosse uma prima em grau distante. Mas ele não sabia do que eu estava falando, casamento nunca lhe passara pela cabeça. E já estava envolvido com outras, de garotas semivirgens a mulheres que entravam em casa virando o rosto, quiçá comprometidas. Até que uma noite atendi ao primeiro toque do telefone, eu não desistia de esperar pelo coronel Althier. Mas um delegado de polícia me perguntou se era da residência de Eulálio d'Assumpção Palumba Júnior. Corri ao motel Tenderly, onde meu bisneto jazia nu de borco num carpete com cheiro nauseante. Segundo o delegado, os funcionários do motel suspeitaram de um sequestro, quando viram entrar uma quarentona jeitosa num carro de luxo, tendo no banco do carona um jovem de aparência humilde. Hesitavam em chamar a polícia, quando ouviram seis estampidos, e não houve tempo de anotar a placa do carro que partiu em disparada. Precipitaram-se a socorrer a senhora, e qual não foi sua surpresa ao dar com o corpo do suposto delinquente. Mas não precisava o delegado agadanhar meu braço, porque eu não ia mexer no menino, só queria limpar com o lenço o sangue dos seus lábios carnudos. Ao pé da cama estavam suas roupas, que a perícia já tinha revistado à procura de tóxicos, recolhendo uns trocados, chaves, agenda telefônica e carteira de identidade. Maria Eulália preferiu não vir comigo ao cemitério São João Batista. Os coveiros estavam de má vontade, e quando o caixão bateu com peso no fundo da tumba, o baque abafado me soou como o fim da linha dos Assumpção. Para mim já estava bom, bastava.

21

Mas você perdeu lances fundamentais da minha vida. Do jeito que anda relapsa, quando você compilar minhas memórias vai ficar tudo desalinhavado, sem pé nem cabeça. Vai parecer coisa de maluco, se eu lhe contar que invadi o Palace Hotel de madrugada, esmurrei a porta do francês e com voz alterada gritei, polícia! O canalha me abriu a porta sem camisa, suado, batendo o queixo, como que acometido por uma crise da malária. E no fundo do quarto, à luz vermelha do abajur, vi minha mulher deitada de pernas cruzadas, seu vestido cor de laranja jogado numa cadeira. Vi Matilde com as faces coradas na cama de Dubosc, nua, estática, tão exatamente como eu a imaginava, que talvez a estivesse imaginando ainda. Porque devo ter chegado ao hotel com uma ideia fixa, e afobado como entrei no quarto, não tive tempo de moldá-la à realidade. Na realidade era azulada a luz do abajur, e no espaldar da cadeira havia uma camisa marrom. Mas só podia ser de Matilde o vulto de mulher toda encolhida no canto da cama, cobrindo o corpo com a roupa de cama, tapando bestamente metade da cara com o lençol. Ordinária, pensei, puta, pensei, porca, mas pensei com pouca força, era difícil insultar minha mulher sem me ferir mais ainda. Meu único consolo era considerar que Matilde não passava de uma criança, que agora puxava o lençol para esconder os olhos, deixando de fora os pés miúdos. Uma menina de Copacabana que nunca sequer viu um navio de perto, e eu, cretino, ainda a instigava apontando o oceano: lá vai o Arlanza!, o Cap Polonio!, o Lutétia! E de manhãzinha ela pretendia embarcar no Lutétia de braço com o francês, que aos seus olhos era um cavalheiro notável, um cidadão do mundo. Dava até para vê-la, embasbacada de viajar em camarote matrimonial, na condição fajuta de madame Dubosc, com assento permanente à mesa do comandante. Seria exibida pelo amante nos salões de Paris, como séculos atrás uns índios tupinambás na corte francesa, encantaria a metrópole com seu maxixe, seu francês esdrúxulo e sua beleza mestiça. E tome bateaux-mouches, torre Eiffel, Mona Lisa, uns flocos de neve, em pouco tempo ela acreditaria ter visto praticamente tudo na vida. Aí o inverno se estenderia, os dias ficariam curtos, e Matilde, espírito simples, no Jardim de Luxemburgo se pegaria a sonhar com a pracinha dos brinquedos em Copacabana. Em vez de desfrutar um teatro ou um café-concerto, toda noite se recolheria preocupada com a filha, que à hora do Rio estaria com a babá na praia, ou andando de bodinho na praça, ou mamando na ama-de-leite. E por um reflexo, seu leite se faria ainda mais abundante e mais doloroso de extrair dos mamilos, rachados de frio. E ao verter o leite na pia, Matilde poderia se debulhar em lágrimas, mas duvido que o francês se mexesse para acudi-la. Passado o primeiro elã, Dubosc na certa se revelaria um amante avaro, de regular as carícias e a calefação, e que mesmo na cama a trataria por vós. Mas para ele tampouco seria fácil conviver com uma mulher que assobiava para chamar garçom, saltava a cancela do metrô e teimava em tomar banho todo dia. Designado pela Companhia para nova missão, em algum país de idioma complicado e costumes estranhos, de mulheres enigmáticas, Dubosc entenderia que era hora de repatriar a brasileira. E Matilde não se incomodaria de voltar em terceira classe de sua aventura inconsequente, confiando no pronto perdão do marido. Já chegaria pondo ordem na casa, comandaria uma faxina, coibiria mexericos na cozinha e despacharia a ama-de-leite. Eulalinha não haveria de estranhar seu peito, gulosa que ela só, mamaria como se a mãe tivesse apenas mudado de cheiro outra vez. E enquanto amamentasse, Matilde se riria ao me imaginar saudoso de roçar a língua em seus mamilos úmidos.

Mas confesso que enjoei de leite desde o momento em que o vi espirrado nas bordas da pia, seus resquícios amarelados coalhando na louça branca, seu cheiro a azedar. Parei um tempo diante daquele mistério, e quando fui cobrar explicações de Matilde, não a encontrei em seu quarto. Eu ainda quis crer que ela tivesse desembestado atrás da filha para aproveitar a lactação inesperada, Matilde era mulher de dar o peito no meio da praça. Mas ela não estava na praça nem em lugar algum, e entrei pela noite a sós com minhas lucubrações. Porque Matilde nunca foi de sair sozinha à noite, e dali a pouco a criança acordaria com fome. E para mim era inconcebível a mãe lhe sonegar o leite que tinha de sobra, de deitar fora na pia. Nem sei onde cabia tanto leite, não eram grandes os seus seios. Mas mesmo cobertos, numa mirada dava para adivinhar seu viço, Dubosc que o diga. Na praia, ele não tirava os olhos do busto da minha mulher, nem se acanhava de segui-la sempre que ela entrava em casa com a menina. Era uma urgência urinária, era um reforço na bebida, tudo era pretexto para ele contemplar os seios redondos de Matilde, que amamentava sem cerimônia no meio da sala. Aposto que o caso começou assim, Dubosc embevecido com a surpreendente alvura dos seios de Matilde, brotando de um colo tão moreno. Daí suas visitas ao chalé à minha revelia, quando a abordaria com louvores e atrevimentos. Não lhe daria trégua, julgaria uma birra infantil ela lhe ocultar o par de joias que ele já havia apreciado noutras circunstâncias. Para dar um basta na aperreação, suponho que um dia Matilde tenha afinal concedido em lhe abrir a blusa num canto da sala. E pronto, não lhe custou tanto assim satisfazer aquele francês meio sem-vergonha, com idade para ser seu pai, que por alguns segundos fitou com exclusividade seus seios cândidos, redondos e viçosos. Matilde era vaidosa deles, e não veria maior inconveniente em mostrá-los mais uma ou outra vez, nem pôde evitar que ocasionalmente ele os tocasse de leve, para confirmar sua consistência. E quando deu por si, estava palpitando de medo, espremida contra a parede debaixo da escada, sendo beijada ao redor dos seios, tentando preservar a honra dos seus bicos enrijecidos. Mas depois de cedê-los, não teve mais como recusar convites para visitas íntimas ao Palace Hotel. Dubosc andara pelo Oriente, frequentou bordéis da Birmânia e do Sião, certamente bulia em seios com artes que eu ignorava. Assim viciou minha mulher, que já não esperava convites para escapar de casa esbaforida, a fim de mais e mais encontros vespertinos. E pode ser que ao voltar se sentisse indigna da filha, não ia lhe dar um peito assim todo lambuzado. Ou talvez já tivesse emprenhado do francês, e desde logo reservasse o peito para os beiços do filho dele. E aqueles vestidos tenebrosos que minha mãe lhe deu, que lhe cobriam os braços e batiam nas canelas, ela os usava em casa para se manter imaculada de mim, visto que agora devia fidelidade a um amante possessivo. E o pessoal do hotel nem ousou me interceptar, estava patente que eu atropelaria qualquer um. Eu derrubaria a porta do francês com um pontapé, no ímpeto com que cheguei. Derrubaria até porta de caixa-forte, como um alcoólatra pode abrir uma garrafa com os dentes, como um alcoólatra deseja o álcool com raiva, era assim que eu vinha. Esmurrei a porta, dei grito de polícia, e o velhaco me recebeu tremelicando, afastei seu corpanzil com uma só mão. Vi Matilde no fundo do quarto, cobrindo a cabeça com o lençol, como se eu não conhecesse a sola encardida dos seus pés praieiros. Como se eu não soubesse da partida do Lutétia na manhã daquele sábado, e dos seus planos de embarcar de braço com o francês, um cavalheiro notável, um cidadão do mundo. Então avancei para minha mulher decidido a arrastá-la para casa pelos cabelos, nua como estava, para a enxovalhar perante os porteiros do hotel e os bêbados na avenida. Num safanão arranquei o lençol com que ela se embrulhava, e dei com a mulher do médico. Eu estava certo de desmascarar Matilde, e foi com repulsa que deparei as carnes moles da mulher do médico. Ela pôs as mãos na cara, choramingava, e o francês me chamou de tipo selvagem, espécie de maníaco e détraqué. Eu ia lhe dar uma resposta ríspida, mas nem isso ele merecia, era um sujeito que não podia se medir comigo. Um fanfarrão, um capadócio, um homem a quem Matilde definitivamente não se entregaria. Um indivíduo que abusava de uma mulher de peitos murchos, pelo prazer de lesar seu melhor amigo. Matilde precisava saber disso, eu a acordaria para lhe relatar o flagrante, mas ela ainda não estava em casa ao meu regresso. Portanto me recostei no sofá, fechei os olhos e fiquei à escuta do mar, como fazia toda noite até pegar no sono. Como fizemos Matilde e eu ao amanhecer da nossa primeira noite, eu nunca tinha dormido antes defronte da praia. E a partir de então liguei uma coisa com outra, a respiração de Matilde chamava as ondas, que lhe respondiam com seu espraiar. Passar uma noite sem Matilde me parecia tão improvável quanto cessarem todas as ondas sem mais nem menos. Mas súbito escutei uma pancada cheia, como se o mar batesse à minha porta, e quando abri os olhos, amanhecia. Saí para a rua, e já não existia a praia, as águas cobriam a areia e as ondas quebravam contra a calçada, levantando enormes leques de espuma. Faziam tamanho estardalhaço, que custei a perceber um automóvel coberto de barro que chegava buzinando ao meu portão. Era o médico, que fiz entrar a contragosto, porque não eram horas de se visitar ninguém e de problemas eu já estava bem servido. E ele ainda me pediu uma bebida, tinha os olhos sanguíneos, estava visivelmente tresnoitado. Devia estar rodando alucinado pela cidade, só me faltava ele achar que sua mulher estava comigo. Mas não, vinha se despedir e me agradecer a hospitalidade, pois embarcaria no Lutétia aquela manhã. E seguiria viagem rumo a

Constantinopla, de onde chegavam notícias de uma epidemia de febre tifoide. Além do mais, Eva está louca para conhecer o Oriente Médio, disse. Eva ficou louca pela Venezuela, Eva amou a Guatemala, Eva exultou com o Paraguai, ele sempre dizia que, por Eva, teria fixado residência em qualquer buraco desses. Tomou um gole de conhaque e disse, Eva vai sentir muita falta do Brasil. Desculpou-se por passar assim na correria, mas alguns imprevistos precipitaram sua partida, e aquela noite se demorara em estradas toscas no interior do estado. Dubosc ia receber um Citroën imundo e sem amortecedor, disse com um sorriso torto, mas pelos míseros cinquenta contos que desembolsou não tinha do que reclamar. O médico consultava o relógio, dizia estar em cima da hora, fazia que ia mas não ia, parecia rodear algum assunto embaraçoso. Penso que ele sabia muito bem com quem sua mulher se deitava, como deve ter sabido no Panamá, na Guiana Francesa e não sei mais onde, como saberia na Turquia e por aí afora. Peregrinava pelo mundo como quem arrasta uma esposa com moléstia incurável, mas eu não tinha nada a ver com a sua vida. Eu detestaria que ele me tivesse escolhido para confidente, que se pusesse a me revelar suas misérias olhando nos meus olhos, não tolero isso. Mas no instante em que a Eulalinha abriu o berreiro lá em cima, ele virou o resto do conhaque, me encarou e disse estar confiante em que Matilde se recuperaria sem maiores sequelas. Ele vinha de interná-la num sanatório em região montanhosa de clima seco, onde colegas sanitaristas lhe prestariam assistência especial, apartada de enfermos de baixa esfera. Disse que ela relutara até o último dia em aceitar a terapêutica, mas você já deve ter ouvido esta história antes. Com a idade a gente dá para repetir velhas lembranças, e as que menos gostamos de revolver são as que persistem na mente com maior nitidez. Agora preciso dos meus anestésicos, minhas dores no peito voltaram a se agravar, sinto que desta noite não passo. Se houver algum padre por perto, mande-o vir me confessar, pois vivo em pecado desde o dia em que conheci minha mulher. Não sei se já lhe contei como pecava em pensamento até dentro da igreja, no tempo em que ainda ia à missa, mas sou batizado e tenho direito à extrema-unção. Estou mesmo inclinado a crer na vida eterna e faço fé em que Matilde esteja à minha espera, apesar de no catecismo nunca terem me explicado direito a ressurreição da carne. Porque já fui um rapaz garboso, e não me parece justo passar para a eternidade assim decrépito, ao lado de Matilde adolescente. Só não sei como ela estava quando se foi, pois não queria ser vista, não admitia visitas. Segundo o médico, Matilde o fez jurar pela Bíblia que não me revelaria seu paradeiro, mas esta passagem nem precisa constar das minhas memórias, porque trata de fatos incertos, que não presenciei. Ao receber a notícia fiquei zonzo, passei dias prostrado, chorei muito, tive febre, suores noturnos, acessos de tosse, horrorizado me convenci de estar também com o pulmão cheio de bacilos. Porém mais tarde comecei a duvidar do relato do médico, pois não me recordava de Matilde tossindo, e a lavadeira teria me alertado caso ela andasse botando sangue pela boca. Eu tinha um pé-atrás com aquele doutor, não porque fosse judeu, mas pusilânime, sua mulher o induziria facilmente a me contar qualquer patranha. Eva tinha sido uma companhia perniciosa para Matilde, desde o início encheu sua cabeça de fantasias. Decerto lhe falava da sua juventude na Paris da belle époque, com um marido complacente e sem crianças que a aborrecessem. Já aos quarenta anos bem vividos, é possível que à falta de uma filha se visse representada na minha mulher, não me escapou a maneira como a olhava na praia, o esplendor do seu corpo ao sair das águas. Eva se prestaria alegremente a acobertar um romance de Matilde, e a suspeita me fez saltar da cama. A figurar Matilde trancada num sanatório, era mil vezes preferível perambular pela cidade, adivinhando a silhueta dela em cada janela de arranha-céu. Algum dia eu haveria de topar com ela, mesmo que se passassem anos, mesmo aos beijos com outro. E se algum dia encontrasse Matilde com outro, mais que olhar Matilde eu olharia o outro, eu necessitava saber como era esse homem, para dar substância ao meu ciúme. Eu pensava nesse homem constantemente, muitas noites cheguei a sonhar com ele, mas ao despertar não conseguia lhe conferir forma humana. Nem ódio eu podia ter de um sujeito que não me ultrajou, não entrou na minha casa, não fumou meus charutos, não violentou minha mulher. E pouco a pouco me dispus a aceitá-lo, procurei imaginá-lo como uma alma delicada, como alguém que olharia por Matilde na minha falta. Imaginava um homem que se dirigisse a ela somente com palavras que nunca usei, que tivesse o cuidado de tocar a pele dela onde eu jamais tocava. Um homem que se deitasse com ela sem tomar o meu lugar, um homem que se contentasse em ser o que eu não era. De tal modo que Matilde pensaria em mim sempre que olhasse em torno dele, e em sonhos nos visse os dois ao mesmo tempo, sem compreender quem era a sombra de quem. E ao despertar, talvez só se lembrasse vagamente de ter sonhado com o desenho das ondas em preto-e--branco, no mosaico da calçada de Copacabana. A calçada onde em tempos ela saltitava como se jogasse amarelinha, porque não podia pisar senão nas pedras brancas. E onde eu agora caminhava trôpego, trançando as pernas, pois apenas roçasse um pé nas pretas, cairia no inferno. Acho que o inferno era a doença de Matilde.

22

Paciência. Mais dia, menos dia, fatalmente chegaria a minha vez. Os senhores, por favor, sejam prudentes ao me deslocar, pois tenho uma fratura no fêmur de calcificação precária. É escusado ameaçar meus colegas de enfermaria, ninguém aqui vai interceder por mim. Meu pai é morto, mas minha mãe tem dinheiro no banco e patrimônio familiar. Seu telefone sei de cor, é o número da minha infância, peçam à telefonista: SUL 1403. Porém é preciso que alguém do bando fale francês, em português mamãe se recusará a atendê-los. Também tenho uma filha, minha herdeira universal, já me fez passar todos os bens para o seu nome a fim de adiantar o inventário. Mas Maria Eulália não dará um tostão por mim, nem que os senhores lhe mandem minha orelha pelo correio. Mesmo porque não tem mais de onde tirar, transmitiu sua herança recentemente ao meu tataraneto. Esse talvez os senhores conheçam, Eulálio d'Assumpção Palumba Neto, metido a galã, cabelos claros ondulados, para Maria Eulália seus olhos azuis lembram os do meu avô, num retrato a óleo que se perdeu por aí. Cá entre nós, tenho dúvidas quanto à ascendência do rapaz, dado como filho póstumo do meu bisneto Eulálio. Os senhores vão cair para trás, mas meu bisneto era tão preto quanto o chefão aí da quadrilha. Teve um caso passageiro com a mãe da criança, moça muito refinada, por quem não ponho a mão no fogo. Pelo sim, pelo não, criamos o garoto, que recém-nascido nos foi entregue em domicílio pelo chofer particular de madame Anna Regina de Souza Vidal Pires de Albuquerque. Essa minha cunhada é viúva de um usineiro, ex-governador de Pernambuco, e mora em Copacabana de frente para o mar, num apartamento cheio de obras de arte, santos barrocos, oratórios folheados a ouro. Guardei seu cartão de visita em algum lugar, porém me custa crer que ela pague o resgate por bem. Cartão de crédito não tenho, nem talão de cheques, mas estou para receber uma dinheirama pela desapropriação da minha fazenda na raiz da serra. Poderemos chegar a um acordo financeiro razoável, talvez fifty-fifty, tão logo a burocracia libere a verba. Entrementes não me importo de ficar confinado, desde que disponha de um quarto com banheiro, mais uma provisão de cigarros. Minha alimentação é frugal, e comida melhor que a deste hospital qualquer cativeiro é capaz de oferecer. Não buscarei contato com a polícia, não clamarei por socorro, e é evidente que não estou apto a arriscar uma fuga. Todavia lhes advirto que se alguém se atrever a me encostar um dedo, terá de se haver com meu tataraneto Eulálio. Por muito menos, ele em menino tocou fogo na escola, e depois de uma temporada num reformatório ficou mais genioso ainda. Mas nunca deixou de ser o quindim da bisavó, que passava os dias a pentear seus cachos, com medo de que encarapinhassem. E deu de ombros quando lhe comuniquei que o sacana andava me roubando, pois no futuro eu seria indenizado com juros. Não sei que tanto futuro Maria Eulália via nele, que já era um galalau do meu tamanho e nem o curso primário tinha completado. Mas ela argumentava que o garotão precisava de dinheiro para investir na sua apresentação pessoal, de modo a ser aceito em círculos de jovens bem-nascidos. Já me antevendo na penúria, cortei todo gasto supérfluo na casa, não largava minha carteira nem para dormir. Não obstante, o menino continuava a comprar jaquetas de couro, tênis fosforescentes, aparecia sempre com o último modelo de telefone celular. Cismado, fui ao criado-mudo de Matilde e não deu outra, as joias dela haviam sumido. Fiquei indignado, e minha filha ainda teve o desplante de me afirmar que os brilhantes da mãe não passavam de miçangas baratas. Inclusive é coisa de gentinha, disse Maria Eulália, guardar na gaveta as quinquilharias de uma suicida. Não sei de onde ela tirou uma blasfêmia dessas, talvez tenha bisbilhotado as cartas que o médico me escreveu do estrangeiro. Numa delas, se bem me recordo, ele de fato mencionava que Matilde chegou a pensar numa solução extrema, quando soube da gravidade da sua doença. Mas naquela noite ela se afogou porque o tempo enlouqueceu, o mar encheu num segundo e as ondas gigantes tragariam qualquer incauto que estivesse na praia. Foi o que eu disse a Maria Eulália, e buscando seus olhos lhe falei dos meus dias de vigília à beira-mar, dos meus sobressaltos noite adentro a cada onda que rebentava. E lhe confessei que a ver o corpo de Matilde dar na praia, sabe lá com que mutilações, preferi afinal que ela permanecesse enrascada para sempre no fundo do oceano. E simbolicamente fiz gravar seu nome no jazigo que minha mãe mandara erigir para meu pai, conforme projeto de um escultor funerário genovês. Ali mamãe também seria sepultada, assim como meu bisneto, e eu mesmo tinha uma gaveta reservada para quando Deus me chamasse. Mas da última vez que fui ao cemitério São João Batista, no lugar do jazigo dos Assumpção encontrei um monstrengo de mármore lilás, habitado por um defunto com nome de turco. Foi crueldade da minha filha, se ela vendesse o nosso apartamento em vez da sepultura, eu me acharia menos desalojado. E não sei quantas vezes já lhes recomendei que me pousassem devagar na maca, estou com as costas cheias de furúnculos. O doutor lá da tomografia, que me parece um rapaz de certo nível, depois do checkup há de me acomodar em quarto individual, porque para esta senzala não volto. Os camaradas aqui debocham dos meus bons modos, minha linguagem acurada os ofende, sinto forte animosidade no ar. Fora que todo dia mais um desgraçado vem dar baixa, e o recinto carece de ventilação, começa a cheirar mal. Deixem meu tataraneto saber como sou tratado aqui, por muito menos ele tocou fogo numa boate em Ipanema. Ele então já não morava conosco, tinha alugado um apartamento perto dos seus amigos ricos, a quem prestava alguns serviços. Até saía em fotos com essa turma festeira numas revistas que minha filha recortava e amontoava na escrivaninha, por cima das minhas lembranças familiares. Eu estava justamente pondo ordem nos papéis, no dia em que Eulálio entrou em casa com uma namoradinha chamada Kim. De saia curta e barriga de fora, uma argola espetada no umbigo, era uma brunette extrovertida, foi logo me dando beijinhos e me tratando por você. Sentou-se no braço da minha cadeira e se divertiu com as minhas fotografias, na altura do seu cóccix estava tatuado Jesus Cristo em letras góticas. Pensou que fosse um congresso de mágicos, ao ver meu pai de cartola com ministros e embaixadores, na Exposição do Centenário da Independência. Então lhe expliquei que papai foi o político mais influente da Primeira República, contei que o rei Alberto costumava vir da Bélgica se aconselhar com ele, até apontei numa foto a rainha Elizabeth como sendo minha mãe.

E quando num arroubo eu lhe disse que o palácio Imperial era a casa de veraneio da minha família, ela deu um assobio e falou, caraca! Eu estava inspirado, e mais diria se o Eulálio não a apressasse, viera tão-somente buscar no meu armário uns cachecóis, luvas, meu cardigã de cashmere e um mantô príncipe-de-gales do meu pai. Ia à Europa a negócios, e eu me perguntava em que raio de língua se entenderia, se nem português falava direito. Mas a menina Kim tinha noções de inglês, e com ela Eulálio viajou seguidamente a Paris, Madri, Amsterdã, ganhava boas comissões pelo seu comércio. Trazia sempre um souvenir para a bisavó, era afetuoso com ela, levou-a para passear no seu novo jipe japonês. E ela me olhava vitoriosa, porque o garotão parecia mesmo ter tomado jeito, planejava casar com Kim assim que juntasse dinheiro para comprar um apartamento na praia da Barra. Kim estava de olho numa cobertura duplex que reuniria a família inteira, considerava um absurdo eu morar com minha filha num prédio tão mixuruca, em bairro sem prestígio. Espantou-se de não termos sequer um plano de saúde, fez Eulálio pagar à vista a anuidade mais cara da praça, dada a idade provecta dos usuários. Ele fez questão de me exibir o recibo e o reclame, contaríamos com tratamento VIP em hospitais de primeira linha, nem que fosse apenas para nos propiciar uma morte digna. Maria Eulália andava realmente muito debilitada, com uma cor esquisita, a espinha cada vez mais torta. E talvez sentindo chegar a sua hora, aprestou a doação do nosso apartamento para o bisneto. Foi nessa ocasião que Eulálio se decidiu a levantar um empréstimo e tocar os negócios por conta própria, valendo-se de suas relações com fornecedores no Brasil e clientes lá fora. A coisa me parecia um tanto nebulosa, mas para Maria Eulália o garotão seguia os passos do meu pai, que nos bons tempos ganhou milhões de libras com a exportação de café. E às vésperas da próxima viagem, Eulálio me trouxe de surpresa uma caixa de charutos cubanos, parece ter adivinhado que El Rey del Mundo era a marca do senador Assumpção. Eu ia lhe perguntar pela menina Kim, quando as luzes se apagaram e a própria surgiu com um bolo nas mãos, seus olhos negros brilhando, seu rosto iluminado pelas três velinhas que formavam um 100. Eu nem sabia do meu aniversário, mas ela me sapecou dois beijos nas bochechas e me presenteou com um Château Margaux 1989, ano do seu nascimento. Eulálio estava falante, me saudou pelos cem anos de uma vida de aventuras, garantiu à menina Kim que eu tinha dormido com as melhores mulheres do meu tempo. Ora, ora, eu dizia, ora, ora. Pegou, sim, dizia ele, o vovô pegava as misses Brasil, as gostosas de Hollywood, passou no rodo todas as gatas, cachorras e peruas da alta sociedade. Vai ver que pega elas até hoje, disse a menina Kim me piscando um olho, e eu, ora, ora. Sem falar da cocaína, disse Eulálio, que os bacanas de antigamente compravam na farmácia, não era esse pó de gesso que otário cheira por aí. Nisso me fez sentar com ele à mesa, sacou um estojo do bolso do paletó, e fiquei besta, eu nunca mais tinha visto o estojo de ébano do meu pai. Com a miniespátula do meu pai ele bateu e separou o pó em quatro fileiras bem fornidas, me passou o canudo de prata e disse, vai fundo, vovô. E fui mesmo, de um tiro só, foi muito mais fácil aspirar a coca que soprar as velas do bolo. Para, pai, disse minha filha, você vai ter um troço, mas qual o quê, troquei de narina e cheirei a segunda fileira de imediato. Cheiraria as quatro, se a menina Kim não roubasse o canudo dos meus dedos. Debruçou-se por cima de mim para alcançar o estojo, e abaixo do Jesus Cristo tatuado vi o rego da sua bela bunda. E pela cava da sua camiseta pude ver seu seio direito até o bico marrom, ela que era de pele trigueira tinha um seio branco feito cocaína. E no instante em que o namorado atacou a última fileira, ela alçou os cabelos para me mostrar a tatuagem na nuca, o nome Eulálio dentro de um coração flechado. Sorria, me piscava um olho, devia estar brincando comigo, eu não podia crer que aquela tatuagem fosse para mim. Não sei se ressabiado com alguma coisa, Eulálio de repente deu um tapa na mesa e se levantou para ir embora. Protestei, a menina Kim ainda nem tinha provado o bolo, mas aí ela bancou a santa, se despediu de mim com um beijo seco na testa. Eulálio consolou a bisavó, que suspirava cheia de maus pressentimentos, e partiu sem atender ao meu apelo para dar uma volta no seu jipe. Fazia tempo que eu não saía de casa, e mal a velha se recolheu ao quarto, resolvi pegar uma aragem, procurar um bar aberto com gente interessante. Ao dar com a rua deserta, me dirigi às luzes de uma praça, mas após quadra e meia de caminhada cansei um pouco. Segui até a esquina, onde estava parada uma radiopatrulha com dois meganhas dormindo nos bancos reclinados. Eia!, gritei, batendo na lataria, e o do volante acordou no susto, me apontando uma arma. Os dois se olharam quando exigi entrar no carro, eu precisava espichar as pernas antes de retomar o passo. Instalado no banco traseiro, desafiei-os a adivinhar minha idade, e pareceram céticos quando anunciei meu centenário. Cem anos, insisti, e esbanjando saúde, apesar do coração momentaneamente acelerado, e lhes falei do meu amor incestuoso por uma pequena nascida em 1989. Visto que o assunto não rendia, perguntei-lhes se estavam felizes aqui ou se pretendiam voltar para a África. Opinei que servir na polícia era um grande progresso para os negros, que ainda ontem o governo só empregava na limpeza pública. Depois lhes perguntei se porventura sabiam o preço da cocaína no Rio, e se possível também no exterior, mas eles continuavam sonolentos. Então pedi emprestado um celular, para trocar ideias com algum conhecido, mas o do volante ligou o motor e perguntou pelo meu endereço. O carro foi na contramão até a porta de casa logo ali, e eles não quiseram subir para levar umas fatias de bolo. Fiz com que me amparassem até o elevador, e lá em cima cambaleei até a minha cama, onde passei horas a falar sozinho, de olhos esbugalhados e pernas dormentes. Não tive ânimo para me levantar nos dias seguintes, nem retinha no estômago os ovos fritos que minha filha me servia. Fiquei de molho mais de um mês, emagreci um bocado, demorei a me sustentar em pé, mas Maria Eulália achou bobagem chamar um médico. Ela estava sempre mais nervosa, arrastava os chinelos para lá e para cá, estremecia cada vez que o telefone tocava, e quando não era engano, eram corretores de planos de saúde. Um dia bateram à porta, e tomei por mais um mercador o tipo de terno sem gravata, camisa fechada até o colarinho e uma pasta preta na mão. Apresentou-se como pastor Adelton, vinha conhecer o imóvel que Eulálio lhe havia cedido como caução por um empréstimo não quitado. O senhor ponha-se daqui para fora, disse Maria Eulália, mas o pastor tirou a escritura da pasta e circulou a cavaleiro pelo apartamento, examinando-o em detalhes. Para fora, bradava Maria Eulália, enquanto eu revirava a escrivaninha, atrás do telefone dos meus advogados. Finalmente o pastor Adelton se compadeceu da nossa situação, dizendo-se um homem de Deus, antes que agiota. E esperando em Deus que o irmão Eulálio em breve reapareceria são e próspero, nos ofereceu um teto provisório. Tratava-se de uma casa de um só cômodo pegada à sua igreja nos arredores da cidade, uma hospedagem sem dúvida modesta, porém decente. Assim no olho ele calculava que haveria espaço para a minha cama de casal, e com jeito a escrivaninha barroca que eu não dispensava. Ele próprio se encarregou da mudança pesada, e ainda fretou uma van que nos levasse com nossas malas e trouxas de roupa. Maria Eulália recalcitrava, entrou na camionete à força e passou a viagem emburrada. Tentei distraí-la indicando as montanhas no horizonte, a mesma paisagem de quando deixávamos a cidade para cavalgar na fazenda, ela na barriga da mãe. A diferença era que ao nosso redor a cidade agora não acabava mais, grassavam casebres de alvenaria crua e sem telhado, onde antes havia clubes campestres e chácaras aprazíveis. Perplexa, Maria Eulália olhava aqueles homens de calção à beira da estrada, as meninas grávidas ostentando as panças, os moleques que atravessavam a pista correndo atrás de uma bola. São os pobres, expliquei, mas para minha filha eles podiam ao menos se dar o trabalho de caiar suas casas, plantar umas orquídeas. Orquídeas talvez não vingassem naquela terra dura, e o calor dentro da camionete piorou quando abri a janela. Saímos da rodovia por uma rua poeirenta, e o motorista perguntou pela igreja do pastor Adelton a um travesti, que nos mandou seguir em frente até a curva do valão. O valão era um rio quase estagnado de tão lamacento, quando se deslocava dava a impressão de arrastar consigo as margens imundas. Era um rio podre, contudo eu ainda via alguma graça ali onde ele fazia a curva, no modo peculiar daquela curva, penso que a curva é o gesto de um rio. E assim o reconheci, como às vezes se reconhece num homem velho o trejeito infantil, mais lento apenas. Aquele era o ribeirão da minha fazenda na raiz da serra. E à beira-rio uma mangueira me pareceu tão familiar, que por pouco eu não ouvia o preto Balbino lá no alto: ó Lalá, vai querer manga, ó Lalá? Adiante a casa amarela, com o letreiro Igreja do Terceiro Templo na fachada, estava erguida provavelmente sobre os escombros da capela que o cardeal arcebispo abençoou em mil oitocentos e lá vai fumaça. E ao entrar na casinha ao lado da igreja, me trouxe certo conforto saber que debaixo do meu chão estava o cemitério onde meu avô repousava. Se um dia eu viesse a me finar por ali, de bom grado lhe faria companhia, pois àquela terra já era afeito e mesmo aos miasmas do valão tratei de me habituar. Penoso era acordar toda manhã com o alto-falante da igreja, suas orações e cantorias. Mas não seria eu a reclamar, se nem Maria Eulália o fazia, antes, em pouco tempo ela própria começou a frequentar os três cultos diários. Logo ela, que nunca suportou música, um dia a ouvi cantarolando no banheiro, a voz fraquinha: Deus é poder, Deus é poder. Notei também que passou a se pintar discretamente, um batom rosado e um toque de ruge, para os cultos noturnos em que o pastor Adelton em pessoa vinha pregar. E foi numa noite dessas que me lembrei do vinho da menina Kim, a garrafa embrulhada nas minhas roupas dentro da mala. À falta de um saca-rolha, com uma chave de fenda atochei a rolha gargalo abaixo. Esguichou vinho na minha cara, e ainda bem que mamãe não estava ali para me ver bebendo um bordeaux em copo de geleia. Apesar de algo morno, era um vinho de aroma frutado, para se degustar com enlevo, mas eu tinha de consumi-lo antes que o culto terminasse, porque Maria Eulália deu de condenar bebidas alcoólicas. Como tabaco tampouco era tolerado em casa, vesti o roupão de veludo e saí ao quintal para fumar meu El Rey del Mundo, que era charuto à altura de um Château Margaux. A noite estava abafada, no alto-falante o pastor Adelton falava dos infernos, mas mesmo transpirando bastante eu me comprazia em caminhar em círculos, só cuidando de não tropeçar num vira-lata que me seguia andando na minha frente. Cada vez que eu parava para sorver um gole, ele se punha a cavoucar a terra, mais um pouco e exumaria os ossos do meu avô, e de lambuja os de Balbino seu escravo. E quando atirei longe a guimba do charuto, ele quase chispou atrás, mas pressentindo que eu ia ao banheiro sentou lá dentro à minha espera. A escuridão no cubículo me poupava o desgosto de ver meu corpo nu, eu bambeava catando o fio de água que caía do cano sem direção. Ligeiramente tonto, o sabor do vinho ainda vivo na boca, considerei que me excedera ao fantasiar um romance com a menina Kim. Claro que eu não era mais homem para uma menina daquelas, perto dela nem ousaria me despir. E ela decerto dormiria em pelo com as luzes acesas, andaria pelada pela casa o dia inteiro, adrede para me humilhar. Tomaria duchas intermináveis, me exibindo com desprezo seus seios altos, sua bela bunda, as mais íntimas tatuagens que tivesse. E ao imaginá-la a se banhar para mim, não me ocorria no momento outro cenário que não o amplo e cristalino banheiro do meu chalé em Copacabana. Digo aos senhores que conheci o vasto mundo, vi paisagens sublimes, obras-primas, catedrais, mas ao fim e ao cabo meus olhos não têm recordação mais vívida que a de uns cavalos-marinhos nos azulejos do meu banheiro. E ao recordá-los, pensando na menina Kim, por acaso recuperei a imagem da minha mulher, pois naquele instante se projetava nos azulejos a sombra de Matilde ensaboando os cabelos. E o semblante dela já se recompunha aos poucos na minha memória, como num espelho que se desembaçasse. Logo eu me maravilharia a figurar Matilde em sua plenitude, seus seios brancos, seus cabelinhos negros, suas coxas com a pele perfeitamente morena, sem mancha alguma. Eu tinha até esquecido que seus olhos eram assim meio rasgados, e de relance pensei naquelas muçulmanas que se martirizam, a fim de se tornarem mais belas e desejáveis para os seus maridos no além. Crava em mim as tuas setas, Senhor, cantavam os fiéis, recaia sobre mim a tua mão. O cão gania aos meus pés, enquanto eu relembrava Matilde a me atrair para a parede de azulejos, andando para trás com seus quadris em suave balanceio. E aí revivi uma sensação de menino, nas primeiras vezes que atentei para as mulheres, o andar delas, o movimento das suas saias, os volumes e os vãos nas suas saias. Eu menino não compreendia o que se passava com meu corpo naquelas horas, eu tinha vergonha de sentir aquilo, era como se o corpo de outro menino estivesse crescendo no meu corpo. Pois agora também demorei a atinar comigo, demorei a acreditar que meu desejo pudesse se restaurar a esta altura da vida, tão forte quanto nos dias em que Matilde me olhava como se eu fosse o maior homem do mundo. Mas sim, eu era de novo o rei do mundo, eu era quase o meu pai, e me joguei contra a argamassa da parede como se Matilde estivesse ali para me amparar. Abracei-me à parede áspera, me esfreguei nela, com gosto me escalavrei nela, e me lembrei de Matilde tremendo inteira, cheguei mesmo a escutar sua voz um pouquinho rouca: eu vou, Eulálio. Então patinei no cimento, e antes de descambar ouvi um estalo, senti a dor de um osso a se partir com sua medula, estendido no chão vi minha perna direita retorcida. Lancina minha carne, Senhor, os fiéis cantavam, e eu só tinha um cão para escutar minhas lamentações. Mas em vez de latir para alertar algum vizinho, o idiota pegou a lamber a minha cara. Inerte, eu já não sentia dor alguma, acho até que adormeci naquele piso encharcado, e tomei um susto quando minha filha empurrou a porta do banheiro. A ambulância só veio com o dia claro, de noite ninguém se aventura naquelas bandas.

23

Quando saísse daqui, eu pretendia pedi-la em casamento, mas ela não me quer mais. Passa ao largo da minha maca, não atende às minhas súplicas, deve estar farta de me ouvir trocar seu nome. Talvez ela não creia que eu ainda volte para casa, ouço rumores de que estou na fila para uma vaga em hospital público. Ou quem sabe já se engraçou lá dentro com outro, algum canalha que a engambela forjando memórias mais fabulosas que as minhas. O resultado são estas noites em claro, não tenho quem me dê soníferos, analgésicos, cortisona. No início me revoltei contra os maqueiros por me largarem assim no corredor, na certa estavam em greve outra vez. Mas com os dias me convenci de que no meio deste trânsito não fico pior que na enfermaria, onde a televisão vivia ligada no futebol, eu não conseguia me concentrar nos meus assuntos. O ambiente ainda se degradava à medida que recebíamos os excedentes do pronto-socorro, pacientes com o rosto desfeito, queimaduras, perna amputada, bala na cabeça. Eram jovens, em geral, e malcriados, nem bem eu abria a boca e já se manifestavam: não fode, vovô, conta outra! Mas se com a idade a gente dá para repetir certas histórias, não é por demência senil, é porque certas histórias não param de acontecer em nós até o fim da vida. Já aqui bem ou mal recebo alguma atenção, não há passante que não afrouxe o passo para me espiar, como a um desastre à beira da estrada. E muitos se detêm para escutar minhas palavras, mesmo que não alcancem seu sentido, mesmo quando o enfisema me sufoca e mais arquejo que falo. Aos domingos, no pico do horário de visitas, é comum acorrerem famílias inteiras a fim de apreciar meus estertores, ou quiçá a derradeira sentença de um moribundo. Muita vez de fato já invoquei a morte, mas no momento mesmo em que a vejo de perto, confio em que ela mantenha suspensa a sua foice, enquanto eu não der por encerrado o relato da minha existência. Então começo a recapitular as origens mais longínquas da minha família, e em mil quatrocentos e lá vai fumaça há registro de um doutor Eulálio Ximenez d'Assumpção, alquimista e médico particular de dom Manuel I. Venho descendo sem pressa até o limiar do século XX, mas antes de entrar na minha vida propriamente, faço questão de remontar aos meus ancestrais por parte de mãe, com caçadores de índios num ramo paulista, num outro guerreiros escoceses do clã dos McKenzie. Até há pouco eu soletrava esses nomes para uma enfermeira, que me deixou depois de espremer minhas memórias até o bagaço. Mas isso é o que ela pensa, saibam os senhores que, só da minha mulher, ainda tenho na cabeça um baú repleto de reminiscências inéditas. Não sei se já lhes contei alguma vez como conheci Matilde na missa do meu pai, talvez valesse a pena providenciar uma gravação dos meus depoimentos. Se não fossem meus tremores e câimbras nas mãos, eu preencheria de meu próprio punho, com caligrafia miúda, um caderno para cada dia vivido ao lado da minha mulher. Já depois que ela se foi, meus dias seriam de imenso papel para pouca tinta, extensos e vazios de acontecimentos. Até a manhã em que recebi uma carta num envelope timbrado do hotel Divan em Constantinopla, tendo como remetente o doutor Blaubaum. Eva se encantara com Constantinopla etc. e tal, o tifo se alastrava pela Anatólia etc. e tal, e só nas últimas linhas o médico se referia a Matilde: malgrado as notícias sombrias que vinha recebendo, ele não perdia a confiança no seu pleno restabelecimento, graças à diligência de seus colegas e à misericórdia de Deus etc. e tal. Num impulso tomei meu carro e subi a serra, bati à porta de inúmeros sanatórios, asilos, colônias agrícolas, até num hospício fui parar. Mas ainda que investigasse todos os hospitais do interior do estado, seria impossível localizar uma paciente incógnita, de quem eu nem sequer tinha uma fotografia. Na descida para o Rio, fui me tomando de ira contra aquele forasteiro que se arvorava em guardião da minha mulher, quando nem da sua era capaz de cuidar. Foi mais ou menos o que eu lhe disse num telegrama que me foi devolvido, o destinatário não estava mais hospedado no hotel Divan. Presumindo que ele pudesse ter se cansado da sua vida errante, aproveitei minha última viagem a Paris para sair ao seu encalço, na prefeitura, na gendarmaria, na companhia telefônica. Mas o doutor Blaubaum aparentemente não tinha mais domicílio na cidade, onde penso que Eva já lhe dera suficiente dor de cabeça desde os anos da belle époque. E quando voltei ao país, se não encontrei Matilde a me esperar de braços abertos, tampouco havia cartas alarmantes na minha mesa-de-cabeceira. No news, good news, pensei a caminho da minha mãe, onde lhe prestaria conta das nossas agruras financeiras. Ela recebia o pároco da Candelária para um chá, escutei suas vozes no jardim-de-inverno: de pobre, dizia minha mãe, ela pegou doença de pobre. Não sei se já então mamãe começava a misturar as palavras, mas o padre a corrigiu no ato: de pobre não, Maria Violeta, foi a doença da luxúria que a perdeu. Era evidente que corriam na cidade falatórios recentes a respeito de Matilde. Logo que fui abandonado costumavam cochichar pelas minhas costas, no armazém, no café, no salão de barbeiro, sei que especulavam sobre eventuais amantes da minha mulher. Porém agora faziam profundo silêncio à minha chegada, como se eu estivesse promovido a uma categoria respeitável de marido enganado. Ou temível, haja vista as duas ex-colegas de Matilde que no afã de me evitar, atravessaram a avenida Nossa Senhora de Copacabana e subiram num bonde em movimento. Eu só queria convidá-las a dar um pulo em casa, quem sabe Matilde se animava a deixar o quarto onde se enfurnara. Mas aí já estou trocando as bolas, Matilde não estava mais em casa, a casa sem ela virou um desmazelo, as empregadas se escafederam na minha ausência. Só restou a babá Balbina, que desistiu de sair com a Eulalinha porque na praça, na praia, onde quer que fosse lhe diziam que a menina deveria estar enclausurada com a mãe, ou recolhida a um preventório. Eu também preferia não dar mais as caras na rua, vivia fechado comigo, me reservando para a grande revanche. Porque quando Matilde voltasse ao nosso chalé, o bairro inteiro ouviria os maxixes e sambas da sua vitrola. Levaria ela mesma a filha à praça, a amamentaria sentada no balanço, com o peito de fora daria bom-dia às babás e às mamães, riria à toa. Na praia de Copacabana andaria ao meu lado para que todos a vissem de maiô, adúltera, vá lá, mas saudável e irrepreensível de corpo. Por isso toda noite eu a esperava à janela do quarto, e Matilde não vinha, não vinha, aos nossos encontros furtivos Matilde nunca faltou. E já no limite da minha esperança, eis que ela pisava a relva do jardim na ponta dos pés, e eu descia com o coração na boca para lhe abrir a porta da cozinha. E ela se encostava na parede da cozinha, a me arregalar os olhos negros, mas se calhar essa cena se passava quando ainda nem éramos casados, e não no tempo das coisas que eu vinha narrando. Não é culpa minha se os acontecimentos às vezes me vêm à memória fora da ordem em que se produziram. É como se, a exemplo da correspondência do doutor Blaubaum, algumas lembranças ainda me chegassem de navio, e outras já pelo correio aéreo. E foi num papel aéreo, fino que nem papel de arroz, que me chegou certo dia uma carta do Senegal. Eva já se adaptava à África, depois de intenso frio na Indochina etc. e tal, e embora profícua, a temporada na Indochina ficaria para sempre turvada pela notícia da trágica desaparição de Matilde, trágica desaparição de Matilde, trágica desaparição, sempre turvada pela notícia da trágica desaparição de Matilde. O médico se desculpava pelo tom de sua carta anterior, escrita no calor da hora sob forte emoção, e disse que não se cansava de orar pela trágica desaparição de Matilde, desaparição, não se cansava de orar pela memória de Matilde, muito afetuosamente, Daniel Blaubaum. A tal carta anterior chegou da Indochina bem depois da carta africana com menção à trágica desaparição de Matilde, eu já pensava que tinha desaparecido no mar a carta, nem acreditava mais na existência dessa carta quando ela chegou. Era uma carta gorda, num envelope com o timbre do Hôtel Caravelle de Saigon e um selo com a imagem de um junco chinês ao mar. Observei o selo, o barco com sua grande vela de bambus, o carimbo datado de 29-12-29, virei o envelope, estava fechado com um lacre grená, conferi o remetente, D. B. Sopesei a carta, calculei que haveria ali dentro no mínimo oito folhas escritas, frente e verso, com aquela letra ruim do médico. Tornei a examinar o selo cor de abóbora, no valor de duas piastras, devia ser um selo barato, rocei com a unha as pontas do lacre grená, era como coçar casca de ferida. Olhei o envelope contra a luz, absolutamente opaco, e vai parecer covardia eu jamais ter aberto aquela carta. Talvez eu devesse me inteirar do padecimento da minha mulher, desde o princípio, saber que mal o médico viu nela que na intimidade nunca vi, saber se ele a auscultou lá em casa mesmo, se lhe pediu que se despisse, se confirmou suas suspeitas, se lhe comunicou seu diagnóstico sem rodeios, ou camuflado com jargões da medicina, com termos científicos em francês, e se ainda assim ela compreendeu tudo na hora, se chorou, se lhe perguntou se ia morrer moça, se ia morrer feia, se perguntou a Deus o que seria da sua filha, se teve uma palavra boa para mim. Outro em meu lugar talvez pegasse o carro no fim da leitura, levando no bolso a carta com o endereço nas montanhas, e lá chegando conheceria o quarto e o leito dela, recolheria sua roupa, seus sapatos, agradeceria às pessoas que a assistiram, indagaria dos seus últimos dias, que desespero a tomou, que aspecto tinha, que peso, em que cova rasa estava sepultada. Mas ao deixar a carta intacta em seu envelope lacrado, creio ter feito a vontade de Matilde, que quis sair da minha vida como desaparecem os gatos, com pudor de morrer à vista do seu dono. E por isso mesmo perpetuei o nome dela, sem ela, no jazigo em estilo eclético que mamãe mandara construir para o meu pai. Só anos mais tarde eu voltaria a tocar aquela carta, rapidamente, ao transferir toda a correspondência do médico para uma gaveta fechada à chave, na escrivaninha que herdei da minha mãe. Havia como uma dúzia de cartas oriundas de diferentes países, nem todas abertas, algumas lidas pela metade, além de cartões de boas-festas que costumavam me chegar perto do Carnaval. E depois de um cartão-postal da Argélia, que recebi em 1940 com um ano de atraso, nunca mais tive uma linha do doutor Blaubaum. Melhor assim, pois havia estourado outra Grande Guerra, nosso governo hesitava em tomar partido, e poderia ser mal interpretada minha correspondência com um hebreu. Especialmente agora que eu aspirava a um cargo de responsabilidade no serviço público, pois a mesada de mamãe não acompanhava a inflação, tive até de vender meu carro. Eu andava cogitando no pai de Matilde, que conforme disse minha mãe, até no entourage do presidente Getúlio Vargas conseguira se enxerir. Minhas divergências políticas com o sogro estavam prescritas, a meu modo de ver, uma vez que no novo regime o Congresso fora fechado e nossos partidos nem existiam mais. E como sinal de que tampouco lhe guardava rancor por antigas pendengas de família, passei de táxi na escola de Eulalinha a caminho do palácio do Catete, a fim de apresentá-la ao avô com o uniforme que lhe lembraria a filha falecida. Não era a primeira vez que eu entrava no palácio, ainda adolescente estive ali com meu pai, passei horas brincando nos jardins com os filhos do presidente Artur Bernardes. Por isso soltei uma gargalhada quando um funcionário com cara de botocudo me afirmou que, sem audiência marcada, eu não seria recebido pelo doutor Vidal. Atirei na sua mesa meu cartão de visita, repeti meu nome sílaba por sílaba, ao que ele disse, grande merda, enquanto minha filha se queixava de estar sem almoço, e no meio desse quelelê ouvi um vozeirão, boa tarde, Lilico. E me ouricei, porque o apelido carinhoso que meu pai me dera, na boca de outro qualquer soava a escárnio. Mas era o pai de Matilde que me acenava, caminhava cercado de uns sujeitos com papeladas nas mãos. Prazer em vê-lo, falou de passagem, e já de costas acrescentou: recomendações à dona Maria Hortênsia, errou o nome da minha mãe. Segui-o pelo salão arrastando a Eulalinha, que resolveu empacar, doutor Vidal, doutor Vidal, ao pé de uma escadaria ele afinal se voltou para me atender. Aí lhe anunciei minha disposição de reestudar aquela sua velha proposta, mas antes que eu concluísse a frase ele apontou a Eulalinha, é filha sua? É a neta do senhor, Maria Eulália Vidal d'Assumpção é filha de Matilde. Mas que flor de criança, disse o doutor Vidal, e lhe deu um saquinho de açúcar-cande que tinha no bolso. Só que, Matilde, Matilde, ele falou, e eu via nele o mesmo ar desentendido que tinha visto na madre superiora, como quem procura uns óculos esquecidos no próprio cocuruto. Ah, sim, Matilde, uma escurinha que criamos como se fosse da família, dito isso o doutor Vidal deu meia-volta para subir a escada, e um dos seus puxa-sacos me barrou o caminho. Menos mau que a Eulalinha estava ocupada com o açúcar-cande, já lhe bastava ouvir na escola que a mãe era uma mendiga, ainda hoje ela se ressente de não ter conhecido Matilde. Embora não me fie muito nessas novidades, às vezes penso que minha filha poderia tentar um tratamento com a psicanálise. Quem sabe assim ela me preservaria dos vexames que venho sofrendo ultimamente, quando solta o verbo nos cultos evangélicos, dando testemunho de suas tribulações passadas até o dia em que encontrou a mão de Deus. E suas tribulações procedem sempre da mãe, que segundo ela era vaidosa como Salomé, deixou de lhe dar leite para não amarrotar os seios redondos. Maria Eulália está gagá, se esquece de coisas que falou na véspera, na véspera ela declarava daquele mesmo púlpito que a mãe faleceu no parto como Raquel, mulher de Jacó. Em compensação sua memória remota parece prodigiosa, noutro dia disse se lembrar do homem que, no meio da noite, vinha disputar com ela o peito de Matilde. É capaz de se recordar do bafo de álcool e do sotaque do homem, um estrangeiro que morreu com sua mãe numa capotagem na antiga estrada Rio-Petrópolis. Com igual convicção proclama que a mãe possessa se atirou de uma ponte, ou de um transatlântico, ou se afogou no naufrágio de uma jangada, abraçada a um pescador. E por culpa dessa mãe, devassa como a mulher do profeta Oseias, minha filha diz que cresceu sem amigas, levando trotes no telefone, e pior que ser chamada de filha-da-puta era a pecha de carregar a doença de Lázaro. Jura perante a assembleia que em criança andava com um guizo pendurado no pescoço, e que todo mundo na rua fugia dela, porque a mãe tinha se enforcado num leprosário. E eu sou obrigado a ouvir essas enormidades no alto-falante, Maria Eulália expõe sua mãe ao juízo daquela gentalha da igreja. Não vai aí a intenção de ofender os mais humildes, sei que muitos de vocês são crentes, e nada tenho contra sua religião. Talvez até seja um avanço para os negros, que ainda ontem sacrificavam animais no candomblé, andarem agora arrumadinhos com a Bíblia debaixo do braço. Tampouco contra a raça negra nada tenho, saibam vocês que meu avô era um prócer abolicionista, não fosse ele e talvez todos aí estivessem até hoje tomando bordoada no quengo. Com a possível exceção da pálida senhora, que conheço de alguma parte, mas você não morre tão cedo, filha. Venha cá me dar um beijo, você está cada dia mais adunca, tome cuidado para não deixar cair essa criança. Se você diz que esse Eulalinho é filho do garotão, não vou duvidar, mas sinto que em breve as feições de um Assumpção serão como as de uma espécie extinta. Ele deve ter puxado à família da mãe, cuja proveniência desconheço, sei lá eu o sobrenome da menina. Isso se a mãe for a menina das tatuagens, porque o garotão era muito mulherengo, pode ter botado filho até em mulher casada, ou naquela japonesa que não saía lá do apartamento. Com a neta branquinha da irmã de Matilde sei que ele teve um menino, mas não é esse aí, você deve estar confundindo com o bebê que nasceu no hospital do Exército. Aquele já está crescido, parece que emprenhou uma tipa de nome fictício, mas sinceramente não dou mais conta dessa filharada que deu para nascer de uns anos para cá. Em compensação, sou capaz de me lembrar de cada fio de cabelo do coque da minha mãe, que havia tempos eu não via. Acho que ela veio me tirar a febre, oxalá me cante uma berceuse, não a reconheci antes por causa da criança, nunca vi minha mãe com criança no colo. Pudera, sou filho único, mamãe não dava colo senão a mim, e mesmo assim só de quando em quando. Se eu começasse a fazer manha, ela me passava para a governanta, que me passava para a babá, que me passava para a ama-de-leite me aleitar. Com esforço posso até lembrar de me ver agarrado nela, nos espelhos venezianos do casarão, mas não imagino o que mamãe faria comigo num ambiente pestilento como este. Entretanto, já agora tenho a vaga ideia de ela ter me levado ainda bebê para me despedir de um velho, se não me engano meu tetravô, que agonizava num hospital de campanha. O célebre general Assumpção devia ter uns duzentos anos, parecia mais velho que Matusalém, no século retrasado desafiara Robespierre e agora jazia numa simples padiola. Ele já não dizia coisa com coisa, se intitulava camareiro de dom Afonso VI e acreditava estar no palácio de Sintra, em mil seiscentos e lá vai pedrada. Tive pena porque para o velar só havia mamãe e eu, me admirou que não comparecessem autoridades, marechais, nem um representante da família real. Eu só via gente estranha à sua volta, uns indivíduos de aparência bronca que se riam do velho. E juntou mais gente quando ele esbugalhou os olhos, ficou roxo e perdeu a voz, queria falar e não saía nada. Então abriu passagem uma jovem enfermeira, que se debruçou sobre meu tetravô, tomou suas mãos, soprou alguma coisa em seu ouvido e com isso o apaziguou. Depois passou de leve os dedos sobre suas pálpebras, e cobriu com o lençol seu outrora belo rosto.

Grafia atualizada segundo o Acordo Ortográfico da Língua Portuguesa
de 1990, que entrou em vigor no Brasil em 2009

Projeto gráfico RAUL LOUREIRO

Capa WARRAKLOUREIRO

Preparação MÁRCIA COPOLA

Revisão ANGELA DAS NEVES, VALQUÍRIA DELLA POZZA E ISABEL JORGE CURY

Diagramação WARRAKLOUREIRO

Papel PÓLEN BOLD DA SUZANO PAPEL E CELULOSE

Impressão GEOGRÁFICA

As personagens e as situações desta obra são reais apenas no universo da ficção;
não se referem a pessoas e fatos concretos, e não emitem opinião sobre eles.

Dados Internacionais de Catalogação na Publicação (CIP)
(Câmara Brasileira do Livro, SP, Brasil)

Buarque, Chico, 1944-
Leite derramado/ Chico Buarque. — São Paulo: Companhia
das Letras, 2009.

ISBN 978-85-359-1411-5

1. Romance brasileiro I. Título

09-01286 CDD-869.93

Índice para catálogo sistemático:
1. Romances: Literatura brasileira 869.93

3ª reimpressão

[2009]

EDITORA SCHWARCZ LTDA.
Rua Bandeira Paulista, 702, cj. 32
04532-002 – São Paulo – SP
Telefone: (11) 3707-3500
Fax: (11) 3707-3501
www.companhiadasletras.com.br